HISTOIRE DE FRANCE EN BANDES DESSINÉES

15

DE LOUIS XIV
A LA RÉVOLUTION

LIBRAIRIE LAROUSSE

LE SOLEIL DE VERSAILLES
JEAN BART, CORSAIRE DU ROI

Dessin de Raphaël, texte de Jean Ollivier
Dessin de Gérald Forton, texte de Jacques Bastian

HISTOIRE DE FRANCE
BANDES DESSINÉES LAROUSSE

MESSIEURS, LE ROI !

Les prédécesseurs du Louis XIV s'étaient accommodés de leur royal métier et de ses contraintes : en marge du règne, ils menèrent leur vie privée, mettant au besoin leur couronne entre parenthèses le temps d'une fredaine.

Le Roi-Soleil se veut monarque à toute heure du jour et dans toute sa vie. Qu'il se lève, qu'il mange ou se couche, qu'il aille à la chasse ou à la chaise percée, sa majesté royale ne le quitte jamais : il est perpétuellement en représentation. Il exerce son "métier" de roi avec la conscience et la ponctualité d'un fonctionnaire, abattant, quoi qu'il arrive, ses huit heures de travail par jour. Il suit scrupuleusement son emploi du temps... A regarder sa montre ou son almanach, on sait, fût-on à trois cents lieues de Versailles, ce que fait Sa Majesté. Du moins Saint-Simon l'assure-t-il.

Ce mélange d'orgueil démesuré et de réelle abnégation en impose d'autant plus à son entourage qu'il est le véritable artisan de sa propre grandeur. Ses idées sont-elles originales ? Quand il refuse de gouverner par l'intermédiaire d'un ministre, c'est sur le conseil de Mazarin. S'il proclame hautement qu'il est monarque de droit divin, et "lieutenant [représentant] de Dieu sur terre", il ne fait que répéter une doctrine énoncée avant lui par les théologiens. La façon dont il envisage, enfin, la question de l'autorité procède, directement ou non, du *Prince* de Machiavel, des ouvrages de Balthazar Gracian et de toute la réflexion du XVIe siècle sur la nature et les lois du pouvoir politique. Ces idées sont de son temps ; l'extraordinaire, c'est l'ardeur et le sérieux qu'il met à les appliquer. C'est ce qui lui confère le droit de demander le meilleur d'eux-mêmes à ses serviteurs : Vauban, Turenne, Colbert, et combien d'autres, plus obscurs, le lui donnent sans marchander.

La toute-puissance de Louis XIV a pourtant ses limites, et c'est lui qui les crée. Il domestique les nobles à sa cour : comment saurait-il ce qu'ils pensent réellement ? Il réprime les révoltes paysannes, mais les prévient-il ? Car il ne connaît guère son royaume, et refuse d'écouter les avis de ses sujets... En toute bonne foi, sans doute, il révoque l'édit de Nantes, assuré qu'il ne reste plus de protestants – et ceux-ci par milliers s'en vont mettre en valeur le lointain Brandebourg, ou ramer aux galères.

Et tandis qu'à grand renfort d'hommes et d'argent la France recherche la suprématie militaire en Europe, Angleterre et Hollande emploient leurs forces à bon escient : elles l'emportent par la maîtrise des mers et du commerce, la puissance et la souplesse de leur économie. L'échec de la France en Hollande, l'effondrement de la fin du règne feront bien voir la justesse de leur choix.

LE SOLEIL DE VERSAILLES

La royauté n'est pas un métier de fainéant; elle consiste... en l'action.

VERSION LATINE QUOTIDIENNE. LE JEUNE ÉCOLIER SE NOMME LOUIS XIV.

LOUIS-DIEUDONNÉ GRANDIT AU PALAIS-ROYAL, ENTRE SA MÈRE, LA RÉGENTE ANNE D'AUTRICHE, ET SON PARRAIN, LE CARDINAL-MINISTRE MAZARIN.

MADAME MA MÈRE, VOUS ME SEMBLEZ SOUCIEUSE...

EN CET ÉTÉ 1648, L'ATMOSPHÈRE À PARIS EST LOURDE. LE PARLEMENT ET LES GRANDS DU ROYAUME, PROFITANT DE LA MINORITÉ DU ROI, RÊVENT DE REVANCHE. FINIE LA SOUMISSION IMPOSÉE PAR LES CARDINAUX-MINISTRES.

AU PARLEMENT, L'AVOCAT GÉNÉRAL, OMER TALON, PRÉSENTE SES REMONTRANCES, DEVANT LE JEUNE ROI...

SIRE, DEPUIS DIX ANS LA CAMPAGNE EST RUINÉE. LES PAYSANS DORMENT SUR LA PAILLE ET VENDENT LEURS MEUBLES POUR PAYER LES IMPÔTS.

LE PARLEMENT RÉCLAME LA LIBERTÉ DES PERSONNES ET DES BIENS. IL DEMANDE QUE TOUTE LEVÉE D'IMPÔT NOUVEAU SOIT SOUMISE À SON EXAMEN.

QUAND FEREZ-VOUS TAIRE CES MAGISTRATS IMPUDENTS ! CE SONT DES ENNEMIS DE L'ÉTAT !

MADAME, IL N'EST PLUS TEMPS D'ÊTRE SÉVÈRE SANS S'EXPOSER À DE GRANDES RÉVOLUTIONS.

LE 21 AOÛT, LE CALME À PEINE RÉTABLI, ON APPRENAIT LA BRILLANTE VICTOIRE DE CONDÉ...

SOIXANTE-TREIZE DRAPEAUX ONT ÉTÉ PRIS À L'ENNEMI...

LE PARLEMENT SERA BIEN FÂCHÉ...

...SUR LES ESPAGNOLS, DANS LES PLAINES DE LENS (1648).

LA REINE CRUT LE MOMENT FAVORABLE POUR MATER L'OPPOSITION PARLEMENTAIRE. ELLE FAIT ARRÊTER BROUSSEL, PORTE-PAROLE DES MÉCONTENTS, ET QUATRE AUTRES MAGISTRATS.

DE PAR LA REINE RÉGENTE, JE VOUS ARRÊTE !

PAUL DE GONDI, COADJUTEUR DE L'ÉVÊQUE DE PARIS, PLAIDE POUR LES DÉTENUS.

LIBÉRER CES MESSIEURS DU PARLEMENT ?..

...JE N'EN FERAI RIEN ! ILS SONT CAUSE DU DÉSORDRE ; À EUX D'Y REMÉDIER ! JE ME REFUSE À FAIRE CE TORT À L'AUTORITÉ DU ROI, MON FILS !

LE BRUIT DE L'ARRESTATION SE RÉPAND AUSSITÔT DANS PARIS. ON COURT AUX ARMES. LA CAPITALE SE HÉRISSE DE BARRICADES.

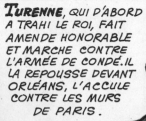

LE 18 AOÛT, LE ROI RENTRE À PARIS. LE PARLEMENT S'EST CALMÉ... MAIS UNE NOUVELLE **FRONDE** S'ATTAQUE À L'AUTORITÉ ROYALE: CELLE DES PRINCES. CONDÉ, LE VAINQUEUR DE ROCROI, EST L'ÂME DE LA RÉVOLTE... DEUX ANNÉES DE TROUBLES, DE TUMULTE.

TURENNE, QUI D'ABORD A TRAHI LE ROI, FAIT AMENDE HONORABLE ET MARCHE CONTRE L'ARMÉE DE CONDÉ. IL LA REPOUSSE DEVANT ORLÉANS, L'ACCULE CONTRE LES MURS DE PARIS.

MONSIEUR LE MARÉCHAL, LE PRINCE DE CONDÉ TIENT LE FAUBOURG !

DURE BATAILLE AU FAUBOURG SAINT-ANTOINE, LE 2 JUILLET 1652. PENDANT PLUS DE SIX HEURES, LES BATTERIES DE LA COLLINE DE CHARONNE FOUDROIENT LES POSITIONS DE CONDÉ.

LA DUCHESSE DE MONTPENSIER, COUSINE GERMAINE DU ROI, FAIT TIRER LES CANONS DE LA BASTILLE CONTRE LES TROUPES ROYALES.

LA GRANDE MADEMOISELLE SAUVE AINSI L'ARMÉE DE CONDÉ, PRÈS D'ÊTRE ANÉANTIE.

J'AI PERDU TOUS MES AMIS : MESSIEURS DE NEMOURS, DE CLINCHANT, DE LA ROCHEFOUCAULD SONT MORTS...

TROIS MOIS PLUS TARD, LE PRINCE DE CONDÉ N'EST PLUS QU'UN FUYARD CHEVAUCHANT VERS LES PAYS-BAS. LA FOLLE AVENTURE DE LA FRONDE TOURNE COURT.

LOUIS XIV ET SA MÈRE ENTRENT DANS PARIS LE 21 OCTOBRE 1652.

VIVE LE ROI !

VIVE LOUIS !

LE JEUNE ROI REVIENT EN TRIOMPHATEUR À LA TÊTE DE SON ARMÉE, MAIS IL N'OUBLIERA JAMAIS LES HUMILIATIONS SUBIES DEPUIS LA FUITE VERS SAINT-GERMAIN...

" LE ROI EST DANS SON LOUVRE, LE SOLDAT À LA BARRIÈRE, ET LE BRUIT DES TAMBOURS QUI CES JOURS PASSÉS NE SERVAIT QUE DE TRISTE AVERTISSEMENT AU BOURGEOIS, NE SERT PLUS QU'À EXCITER LES TRANSPORTS DE SA JOIE*. "

* La Gazette de France.

... ET, DÈS NOVEMBRE, LOUIS INTERDIT AU PARLEMENT DE S'OCCUPER DES AFFAIRES DE L'ÉTAT ET DES FINANCES.

EN DÉCEMBRE, L'UN DES GRANDS REBELLES EST ARRÊTÉ AU LOUVRE: PAUL DE GONDI, CARDINAL DE RETZ...

DE PAR LE ROI, MONSIEUR LE CARDINAL...

MAZARIN, VICTIME DE LA GUERRE CIVILE, S'ÉTAIT EXILÉ EN FÉVRIER 1651...

CETTE JOURNÉE RESTERA DANS MON CŒUR, SIRE...

...LE ROI, QUI L'A RAPPELÉ, SE PORTE AU DEVANT DE LUI JUSQU'AU BOURGET.

RÉJOUISSANCES EN L'HONNEUR DU SUBTIL NAPOLITAIN. LE PEUPLE, QUI AUTREFOIS LE VOUAIT AU GIBET, LUI FAIT FÊTE.

VIVE MAZARIN ! VIVE LA PAIX !

BIENVENUE ! BIENVENUE !

MAIS LA GUERRE CONTRE L'ESPAGNE COÛTE CHER. NICOLAS FOUQUET, SURINTENDANT DES FINANCES, A LA HAUTE MAIN SUR LES DÉPENSES. IL MÈNE UN TRAIN DE VIE FASTUEUX...

DANS L'OMBRE DE MAZARIN, LE FILS D'UN MARCHAND DE REIMS TRAVAILLE AVEC ACHARNEMENT. IL A NOM COLBERT.

COLBERT, VOUS PENSEREZ AUX TASSES DE PORCELAINE ET AUX CONFITURES DE LA REINE.

DANS LES ANNÉES QUI SUIVENT, LOUIS FAIT SON APPRENTISSAGE DE ROI. IL ASSISTE AUX CONSEILS, ÉCOUTANT BEAUCOUP, PARLANT PEU...

S'IL LAISSE MAZARIN PRENDRE SOIN DES AFFAIRES, LOUIS A DÉJÀ UNE HAUTE IDÉE DE SON MÉTIER DE ROI. AU PLUS TÔT, IL VEUT "ÉTABLIR LA RÉPUTATION DE SA PUISSANCE ET DE SA BONTÉ CHEZ SES NOUVEAUX SUJETS."

UNE VITALITÉ EXTRAORDINAIRE L'ANIME. A LA CHASSE, IL CRÈVE CEUX QUI LE SUIVENT.

MESSIEURS, QUI M'AIME ME SUIVE...

... IL NE S'ARRÊTERA DONC JAMAIS! J'AI LE CORPS BRISÉ...

IL DANSE DES NUITS ENTIÈRES, INFATIGABLE.

JE CRAINS, MON CHER COMTE, QUE NOUS DEVIONS VEILLER JUSQU'À L'AUBE...

IL EST LA COQUELUCHE DES DAMES DE LA COUR. CE QUI NE L'EMPÊCHE PAS DE COURIR LES TOITS DU CHÂTEAU DE SAINT-GERMAIN...

SIRE, NOUS ALLONS SURPRENDRE LES FILLES D'HONNEUR!

AVEC CELA, UN SOLIDE APPÉTIT. LOUIS EST LE PLUS GROS MANGEUR DE LA COUR.

ET, À VINGT ANS, ON POURRAIT LE CROIRE UNIQUEMENT PRÉOCCUPÉ DE SES PLAISIRS.

MAZARIN SAIT À QUOI S'EN TENIR.

IL SE METTRA EN CHEMIN UN PEU TARD, MAIS IL IRA PLUS LOIN QU'UN AUTRE.

DÉJÀ, IL FAVORISE DES HOMMES ISSUS DE LA BOURGEOISIE, COMPTANT SUR LEUR AMBITION. EN 1659, COLBERT, DANS SON "MÉMOIRE AU ROI", RÉVÈLE LES MALVERSATIONS DE FOUQUET.

LOUIS JETTE UN REGARD LUCIDE SUR LES PRINCES ET LES GRANDS QUI L'ENTOURENT. L'AVENTURE DE CONDÉ ET DES SEIGNEURS DE LA FRONDE N'EST PAS SI LOIN... MAUVAIS SOUVENIRS.

LES FORCES DE MAZARIN DÉCLINENT. LOUIS PRÉPARE SON RÈGNE...

... QUANT AUX PERSONNES QUI DEVAIENT SECONDER MON TRAVAIL, JE RÉSOLUS SUR TOUTES CHOSES DE NE POINT PRENDRE DE PREMIER MINISTRE...

LA MÊME ANNÉE, VAUBAN, INGÉNIEUR AUX ARMÉES DU ROI, ÉPOUSE JEANNE D'AUNAY. VAUBAN, L'UN DE CES FIDÈLES SUR LESQUELS LOUIS SAURA S'APPUYER.

RÂBLÉ, SOLIDE, LA PEAU TANNÉE PAR LA VIE AU GRAND AIR, SÉBASTIEN LE PRESTRE DE VAUBAN, DE PETITE NOBLESSE, N'A RIEN D'UN HOMME DE COUR.

VAUBAN ? ON LE CROIRAIT ÉCHAPPÉ DE SES TERRES DU MORVAN !

ET IL NE MÂCHE PAS SES MOTS, CET HOMME BRAVE ET GÉNÉREUX.

La fortune m'a fait naître le plus pauvre gentilhomme de France, mais en récompense, elle m'a honoré d'un cœur sincère

IL DÉPLORE L'APPAUVRISSEMENT DES CAMPAGNES DE FRANCE...

... DUREMENT ÉPROUVÉES PAR LES GUERRES ET PAR LA FRONDE.

IL N'IGNORE RIEN DES FAMINES ET DES ÉPIDÉMIES QUI PROVOQUENT, DANS CE ROYAUME DE 19 MILLIONS D'HABITANTS, **LE PLUS PEUPLÉ D'EUROPE,** UNE FORTE MORTALITÉ.

NOURRI DE SOUPE GROSSIÈRE ET DE BOUILLIE, LE PAYSAN MEURT, UNE FOIS SUR DEUX, AVANT... VINGT-CINQ ANS.*

* Il est vrai qu'1 personne sur 4 atteignait alors 45 ans.

9 JUIN 1660. EN L'ÉGLISE DE SAINT-JEAN-DE-LUZ, LOUIS XIV ÉPOUSE SA COUSINE, MARIE-THÉRÈSE, INFANTE D'ESPAGNE.

MAZARIN SE SENT DÉCLINER.

DIRE QU'IL VA FALLOIR QUITTER TOUT CELA ! AH MON PAUVRE AMI, CE TABLEAU DU CORRÈGE, CETTE TOILE DU TITIEN, CES LIVRES, CES STATUES...

SIRE, JE CROIS QUE JE RÈGLE TOUS MES COMPTES EN VOUS LAISSANT **COLBERT**...

SUR SON LIT D'AGONIE, LE CARDINAL ADRESSE AU ROI SES SUPRÊMES CONSEILS. IL S'ÉTEINT LE 9 MARS 1661.

LOUIS A VINGT-TROIS ANS.

JUSQU'À PRÉSENT, J'AI BIEN VOULU LAISSER GOUVERNER À MA PLACE...

JE SERAI À L'AVENIR MON PREMIER MINISTRE. VOUS M'AIDEREZ DE VOS CONSEILS QUAND JE VOUS LE DEMANDERAI. JE VOUS PRIE ET VOUS ORDONNE DE NE RIEN SCELLER QUE PAR MES ORDRES...

LE TON EST DONNÉ. LE ROI EST LE SEUL MAÎTRE...

LAISSONS LE PARLER...

...DÈS L'ENFANCE MÊME, LES SEULS NOMS DES ROIS FAINÉANTS ET DES MAIRES DU PALAIS ME FAISAIENT PEINE QUAND ON LES PRONONÇAIT EN MA PRÉSENCE...

...LE MÉTIER DE ROI EST GRAND, NOBLE, DÉLICIEUX. C'EST PAR LE TRAVAIL QUE L'ON RÈGNE, POUR CELA QU'ON RÈGNE...

N'AYEZ D'ATTACHEMENT POUR PERSONNE.

VOUS DEVEZ ÊTRE PERSUADÉ QUE LES ROIS SONT SEIGNEURS ABSOLUS ET ONT NATURELLEMENT LA DISPOSITION PLEINE ET LIBRE DE TOUS LES BIENS.

NE VOUS LAISSEZ PAS GOUVERNER : SOYEZ LE MAÎTRE. N'AYEZ JAMAIS DE FAVORI NI DE PREMIER MINISTRE. ÉCOUTEZ, CONSULTEZ VOTRE CONSEIL, MAIS DÉCIDEZ !

ROI ABSOLU, IL LE FUT PENDANT SOIXANTE-DOUZE ANS. LE PLUS LONG RÈGNE QUE LA FRANCE AIT CONNU.

HUGUES DE LIONNE, UN DE SES MINISTRES DIT DE LOUIS XIV...

Il voit tout, entend tout, résout tout, ordonne tout, travaille sans discontinuation huit heures par jour...

PARIS COMPTE, À L'ÉPOQUE, UN DEMI MILLION D'HABITANTS. LES RUES Y SONT ÉTROITES, SANS TROTTOIR.

PLACE, PLACE ! SERVICE DU ROI !

IL RÈGNE, DANS CETTE VILLE BRUYANTE UNE ACTIVITÉ INTENSE...

PRUNEAUX DE TOURS, PRUNEAUX !

POIRE DE CORBEIL ! À LA POIRE !

FROMAGE ! FROMAGE DE BRIE !

... ET DES ODEURS TENACES ! IL FAUT Y PORTER REMÈDE, AU PLUS TÔT.

IL EST DÉSORMAIS INTERDIT DE METTRE AUCUN FUMIER DEVANT LES PORTES !

LA COUR DES MIRACLES DEMEURE LE REFUGE DES VAGABONDS. LA NUIT TOMBÉE, LA VILLE N'EST PAS SÛRE. ENNEMI DU DÉSORDRE, LOUIS XIV EXIGE UN NETTOYAGE. DES INSTITUTIONS D'ORDRE PUBLIC ET DE CHARITÉ SONT CRÉÉES.

CERTAINS PERSONNAGES, ET DES PLUS HAUT PLACÉS, LE GÊNENT. LA MAGNIFICENCE DE NICOLAS FOUQUET JETTE DE L'OMBRE SUR SON SOLEIL.

CE LUXE EST INSOLENT...

LE SURINTENDANT DES FINANCES INVITE LE ROI DANS SON MERVEILLEUX CHÂTEAU DE VAUX. CE FUT, LE 17 AOÛT 1661, UNE RÉCEPTION FASTUEUSE.

LE SOUPER FUT SERVI DANS DE LA VAISSELLE D'OR.

COLBERT A VU CLAIR... OÙ SERAIENT LES RESSOURCES DE FOUQUET ?

QUINZE JOURS PLUS TARD, D'ARTAGNAN, CAPITAINE DES MOUSQUETAIRES, ARRÊTE L'AUDACIEUX VICOMTE DE VAUX.

MONSIEUR, IL FAUT ME SUIVRE...

JUGÉ PAR UNE CHAMBRE DE JUSTICE, FOUQUET EST CONDAMNÉ À LA PRISON PERPÉTUELLE ET ENFERMÉ DANS LA FORTERESSE DE PIGNEROL.

COLBERT TRIOMPHE. ENTIÈREMENT DÉVOUÉ AU ROI, IL S'ATTELLE À UNE TÂCHE ÉCRASANTE : ASSURER L'INDÉPENDANCE ÉCONOMIQUE DE LA FRANCE.

GARDEZ EN ESPRIT QU'IL FAUT TOUJOURS ACHETER EN FRANCE PRÉFÉRABLEMENT AUX PAYS ÉTRANGERS...

L'ÉTAT PREND EN CHARGE **LES ATELIERS DES GOBELINS**, DONT LES CRÉATIONS ACQUIÈRENT UNE RENOMMÉE MONDIALE.

MILLE SEPT CENTS OUVRIERS TRAVAILLENT À LA MANUFACTURE DE DRAPS D'ABBEVILLE.

NOUS OBTENONS ICI LES MEILLEURS DRAPS DU ROYAUME, MONSIEUR.

LES ATELIERS DE LA MARINE S'OUVRENT À TOULON, À ROCHEFORT, À BREST.
SAINT-MALO OCCUPE LA PREMIÈRE PLACE POUR LE COMMERCE ATLANTIQUE.

LYON S'ENORGUEILLIT DE SES FONDERIES, ET VIENNE DE SES FORGES DE GROSSES ANCRES.

ARRIÈRE, TOUS! RECULEZ POUR LA COULÉE!

DE NOUVELLES MINES SONT OUVERTES: EN NORMANDIE, DANS LE ROUERGUE ET EN AUVERGNE. L'INDUSTRIE DU FER SE DÉVELOPPE EN NIVERNAIS.

LES ÉTRANGERS S'EXTASIENT. "CE QU'IL Y A DE MIEUX DANS TOUTES LES PARTIES DU MONDE SE FABRIQUE À PRÉSENT EN FRANCE", RAPPORTE L'AMBASSADEUR DE VENISE À SON GOUVERNEMENT EN **1668**.

LOUIS N'A PAS ENCORE FIXÉ SON SITE PRÉFÉRÉ. IL SE MÉFIE DE PARIS. IL N'AIME GUÈRE LE VIEUX LOUVRE. POUR EXALTER LA SPLENDEUR DU RÈGNE, IL FAUT UNE RÉSIDENCE ÉCLATANTE, UNE SECONDE CAPITALE.

À VERSAILLES, OÙ IL CHASSE VOLONTIERS, LOUIS XIII A FAIT JADIS BÂTIR UNE JOLIE DEMEURE...

POURQUOI PAS ? À PARTIR DE CE PETIT CHÂTEAU DE CARTES...

IL A LA PASSION DES BÂTIMENTS. DÈS 1661, IL LANCE LES PREMIERS TRAVAUX.

M. LE NÔTRE A DESSINÉ LE PLAN DES JARDINS...

LA RÉSIDENCE DE FOUQUET, À VAUX-LE-VICOMTE, A FRAPPÉ L'HOMME D'ÉTAT...

SIRE, LES ARCHITECTES ET LES PEINTRES DE VAUX S'EMPLOIERONT À NOTRE SERVICE.

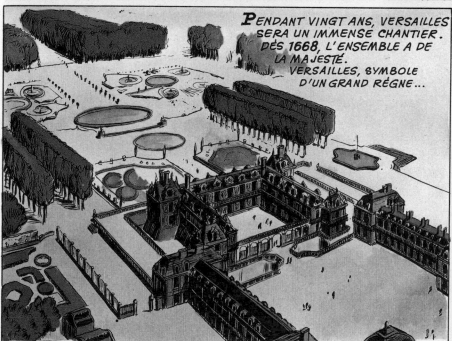

PENDANT VINGT ANS, VERSAILLES SERA UN IMMENSE CHANTIER. DÈS 1668, L'ENSEMBLE A DE LA MAJESTÉ. VERSAILLES, SYMBOLE D'UN GRAND RÈGNE...

L'ARCHITECTE LE VAU, LE PEINTRE LE BRUN, LE DESSINATEUR LE NÔTRE DIRIGENT UNE ÉQUIPE DE CRÉATEURS.

NOUS ŒUVRONS ICI POUR LA GLOIRE DU ROI.

HARDOUIN-MANSART ADJOINT AU CHÂTEAU DEUX GRANDES AILES, AU NORD ET AU SUD, ET CONSTRUIT UNE IMMENSE GALERIE DONT TOUS LES MURS SONT PARÉS DE GLACES...

LE ROI AIME PAR-DESSUS TOUT LA LUMIÈRE !

LE 6 MAI 1682, LA COUR S'INSTALLE D'UNE FAÇON DÉFINITIVE AU CHÂTEAU DE VERSAILLES. DE LA VUE, DE L'EAU, DES BOIS : VOILÀ BIEN DE QUOI SATISFAIRE LOUIS XIV, HOMME DE PLEIN AIR... "UN GENTILHOMME CAMPAGNARD", DIT-ON PARFOIS.

DANS CE CADRE BIEN DESSINÉ, DE PLAIN-PIED AVEC LA NATURE, ENTOURÉ DE PLANS D'EAU, LOUIS, LE ROI-SOLEIL, SACRIFIE À SA SOUVERAINE MAÎTRESSE : **LA BEAUTÉ.**

ICI, PLUS QU'AILLEURS, LE ROI TIENDRA SA NOBLESSE BIEN EN MAIN.

MALGRÉ L'ÉTIQUETTE*, QUI RÈGLE CHAQUE INSTANT DE LA JOURNÉE, C'EST À QUI INTRIGUERA LE MIEUX POUR AVOIR SA CHAMBRE À VERSAILLES.

594   * Cérémonial.

TENIR LE BOUGEOIR AU COUCHER DU ROI DEVIENT UN PRIVILÈGE QUE SE DISPUTENT LES DUCS...

JE SERAI CE SOIR AU COUCHER DE SA MAJESTÉ...

LES PEUPLES SE PLAISENT AUX SPECTACLES. PAR LÀ, NOUS TENONS LEUR ESPRIT ET LEUR CŒUR.

FÊTES, BALS, DIVERTISSEMENTS, AUTANT D'OCCASIONS DE PARAÎTRE. ON SE SOUVIENT ENCORE DES "PLAISIRS DE L'ÎLE ENCHANTÉE" OÙ BRILLA MOLIÈRE, EN 1664.

JUSQU'AU DUC DE RICHELIEU, QUI DÉCLARE, LES YEUX AU CIEL...

J'AIME AUTANT MOURIR QUE D'ÊTRE DEUX OU TROIS MOIS SANS VOIR LE ROI.

...ET C'EST UNE FAVEUR INSIGNE QUE D'ASSISTER AU PETIT-LEVER, À LA TOILETTE DU MONARQUE, OU DE PRENDRE PART À SES PROMENADES.

VOUS M'ACCOMPAGNEREZ AUJOURD'HUI À MARLY.

...ET JEAN DE LA BRUYÈRE, LAPIDAIRE COMME À SON HABITUDE...

Se dérober à la Cour un seul moment, c'est y renoncer.

UN COURTISAN CÉLÉBRA LE ROI COMME "VICE-DIEU"...

... MONSEIGNEUR BÉNIGNE BOSSUET, ÉVÊQUE DE MEAUX, ÉCRIT, SONGEANT À LA CÉRÉMONIE DU SACRE: "LE PRINCE EST L'IMAGE DE DIEU."

OR CET HOMME EXCEPTIONNEL CÈDE À LA PASSION DE LA GLOIRE, IL RÊVE DE VICTOIRES MILITAIRES. DEUX HOMMES VONT LE SERVIR SUR LES CHAMPS DE BATAILLE: CONDÉ, IMPATIENT DE BRILLER À NOUVEAU, ET TURENNE, EN PLEINE LUMIÈRE...

TURENNE

CONDÉ

LORSQU'ON SE BAT EN HOLLANDE (1672), IL DIRIGE AVEC BONHEUR LE SIÈGE DE MAËSTRICHT EN PRÉSENCE DU ROI...

SIRE, LA VILLE SERA À NOUS D'ICI LA NUIT!

AUX GUERRES QUE LE ROI-SOLEIL IMPOSE À L'EUROPE EST LIÉE LA CARRIÈRE D'UN CONSTRUCTEUR DE GÉNIE: VAUBAN, COMMISSAIRE GÉNÉRAL DES FORTIFICATIONS...

... GOUVERNEUR DE LA CITADELLE DE LILLE (1667) PENDANT LA GUERRE DE DÉVOLUTION.

... PENDANT LA LONGUE GUERRE DE LA LIGUE D'AUGSBOURG (1686-1697), IL INAUGURE, SOUS LES YEUX DU DAUPHIN, LE TIR À RICOCHETS.

LOUIS XIV REÇOIT À VERSAILLES LE GRAND SOLDAT, QUI N'A GUÈRE USÉ SES TALONS À LA COUR.

VOUS SAVEZ DÈS LONGTEMPS CE QUE JE PENSE DE VOUS ET LA CONFIANCE QUE J'AI EN VOTRE SAVOIR ET EN VOTRE AFFECTION.

PLUS TARD, AU TEMPS DES REVERS, IL RECONNAÎTRA QU'IL A TROP AIMÉ LA GUERRE ; POUR L'HEURE, LES VICTOIRES L'ENIVRENT.

RIEN NE MANQUE À SA GLOIRE, PAS MÊME L'ÉCLAT D'UNE GRANDE VICTOIRE NAVALE. À STROMBOLI, LA FLOTTE DE **DUQUESNE** BAT LES VAISSEAUX D'UN HOLLANDAIS VALEUREUX, L'AMIRAL DE RUYTER (1676).

ET BOILEAU DE FLATTER, BOILEAU BIEN EN COUR.

GRAND ROI CESSE DE VAINCRE OÙ JE CESSE D'ÉCRIRE TU VOIS BIEN QUE MON STYLE EST NÉ POUR LA SATIRE, MAIS MON ESPRIT CONTRAINT DE LA DÉSAVOUER SOUS TON RÈGNE ÉTONNANT NE VEUT PLUS QUE LOUER.

ON NE COMPTE PLUS LES VICTOIRES. MAIS LOUIS FRONCE LE SOURCIL. IL Y A **PORT-ROYAL**, QUI S'OBSTINE AVEC SES JANSÉNISTES. ET PASCAL OSE RAILLER LES JÉSUITES.

FAMINES, GUERRES, IMPÔTS PÈSENT SUR LES CAMPAGNES. ALORS ON SE SOULÈVE CONTRE LES REPRÉSENTANTS DU ROI, QUI BOULEVERSENT LES COUTUMES LOCALES. DANS PLUSIEURS RÉGIONS, DES PAYSANS PRENNENT LES ARMES, ET LES SEIGNEURS PARFOIS LES SOUTIENNENT.

DANS LE BOULONNAIS, UNE RÉVOLTE EST MATÉE PAR LA TROUPE EN 1662. QUATRE CENTS REBELLES SONT ENVOYÉS AUX GALÈRES.

QUAND LA RAME VOUS AURA MIS DES CALS AUX MAINS, NOUS ENTENDRONS LES FORTES TÊTES !

UNE INSURRECTION PAYSANNE SE RÉPAND COMME UN FEU D'HERBES SÈCHES DANS LE VIVARAIS. AUBENAS EST PILLÉE (1670).

HARO SUR LES ÉLUS !

LES PERCEPTEURS AU GIBET !

EN 1675, LA RÉVOLTE DES "BONNETS ROUGES" SECOUE LA BRETAGNE.

PLUS DE DÎME ! ET QUE LE PEUPLE SIÈGE AUX ÉTATS DE BRETAGNE !

LA RÉPRESSION EST SÉVÈRE. MADAME DE SÉVIGNÉ EN DONNE L'ÉCHO : "LES ARBRES DE CE PAYS PLOIENT SOUS LE POIDS DES PENDUS"...

ET PUIS IL Y A LES PROTESTANTS. ILS SONT UN MILLION DANS LE ROYAUME.

ON DIT QUE LE ROI VA PRENDRE DES MESURES CONTRE LA RELIGION RÉFORMÉE.

DES JOURS SOMBRES NOUS ATTENDENT...

L'ÉDIT DE NANTES EST RÉVOQUÉ LE 18 OCTOBRE 1685. LE PARTI DÉVOT ASSURE QUE C'EN EST FINI DES HUGUENOTS...

ET LES JANSÉNISTES! LE ROI A DEMANDÉ AU PAPE D'EXCOMMUNIER CES MAL PENSANTS...

LES PASTEURS SONT BANNIS, LEURS ÉCOLES FERMÉES, LEURS TEMPLES CONDAMNÉS. LEURS ENFANTS SERONT BAPTISÉS DÈS LA NAISSANCE...

L'ÉDIT INTERDIT AUX RÉFORMÉS DE QUITTER LE ROYAUME. POURTANT 200.000 HUGUENOTS PARVIENNENT À PASSER LA FRONTIÈRE GRÂCE À DES "CHAÎNES" D'ÉVASION.

FRÈRES, NOUS SOMMES EN SUISSE !

DANS LES CÉVENNES, DES CALVINISTES S'OPPOSENT FAROUCHEMENT AUX ORDRES DU ROI. CE SONT LES CAMISARDS, POURSUIVIS DE 1702 À 1705 PAR LES ARMÉES. ET RIEN N'ABAT LEUR FOI.

INDÉPENDANT, ET GÉNÉREUX, VAUBAN PLAIDE AUPRÈS DU MINISTRE DES ARMÉES, M. DE LOUVOIS, LA CAUSE DES PERSÉCUTÉS.

UNE LETTRE DE VAUBAN... TOUJOURS SES CHIMÈRES !

LES ROIS SONT MAÎTRES DES VIES ET DES BIENS DE LEURS SUJETS, MAIS JAMAIS DE LEURS OPINIONS...

LA COUR DEVIENT DÉVÔTE. À VERSAILLES, LE TEMPS DES FÊTES JOYEUSES EST PASSÉ.

CROIT-ON ÊTRE PLUS PIEUX QUAND ON S'ENNUIE PLUS FORT ?

DANS SES **MÉMOIRES**, LOUIS XIV ÉVOQUE Mlle DE LA VALLIÈRE, ET CES ATTACHEMENTS "DONT L'EXEMPLE N'EST PAS BON À SUIVRE !".. Mme DE MONTESPAN, Mlle DE FONTANGES. DU MOINS, AJOUTE LOUIS, "QUE LE TEMPS QUE NOUS DONNONS À NOTRE AMOUR NE SOIT JAMAIS PRIS AU PRÉJUDICE DE NOS AFFAIRES..."

LA REINE MARIE-THÉRÈSE MEURT EN JUILLET 1683...

VOILÀ LE PREMIER CHAGRIN QUE LA REINE ME DONNE.

DÉJÀ LA TRÈS DÉVÔTE Mme DE MAINTENON EST ENTRÉE DANS SA VIE. IL L'ÉPOUSE SECRÈTEMENT QUELQUES MOIS PLUS TARD. LA COUR, ALORS, CHANGE DE TON.

MAÎTRE ABSOLU, LE ROI NE SOUFFRE AUCUNE CRITIQUE. COLBERT LUI-MÊME NE TROUVE PAS GRÂCE DEVANT LUI.

J'AI EU BEAUCOUP D'AMITIÉ POUR VOUS. J'EN AI ENCORE. PROFITEZ-EN. N'HASARDEZ PLUS DE ME FÂCHER ENCORE...

LE MINISTRE VA S'ÉTEINDRE, DÉSESPÉRÉ (6 SEPTEMBRE 1683)

AH! FANATISME DE LA GRANDEUR! TOUS MES EFFORTS SONT ANÉANTIS!

LE MONARQUE N'ABANDONNE RIEN DE SON AUTORITÉ. JUSQUE DANS LES ÉPREUVES, IL DEMEURE LE **ROI**, L'UNIQUE.

LE DUC DE SAINT-SIMON REMARQUE, NON SANS PERFIDIE...

Sans la crainte du diable, Louis XIV se serait fait adorer et aurait trouvé des adorateurs.

MAIS LES PARLEMENTAIRES MÊMES LE TRAITENT DE "MAÎTRE ADORABLE". LOUIS AVAIT CINQ ANS À PEINE LORSQUE OMER TALON LUI DIT: "SIRE, LE SIÈGE DE VOTRE MAJESTÉ NOUS REPRÉSENTE LE TRÔNE DU DIEU VIVANT!"

SEULE, PARMI CELLES DES FLATTEURS, S'ÉLÈVE LA VOIX DU SAGE VAUBAN. IL MÉDITE SON "PROJET D'UNE DÎME ROYALE", IMPÔT UNIQUE DEVANT FRAPPER TOUS LES SUJETS...

"LES GRANDS CHEMINS DE LA CAMPAGNE ET LES RUES DES VILLES SONT PLEINS DE MENDIANTS QUE LA FAIM CHASSE DE CHEZ EUX", OBSERVE-T-IL.

..."PRÈS DE LA DIXIÈME PARTIE DU PEUPLE EST RÉDUITE À LA MENDICITÉ. DES NEUF AUTRES PARTIES, IL Y EN A CINQ QUI NE SONT PAS EN ÉTAT DE FAIRE L'AUMÔNE À CELLE-LÀ...!

L'ENVERS DU DÉCOR EST MOINS BRILLANT QUE LA FAÇADE. DES HOMMES AVERTIS OSENT LE DIRE, ET NE SONT PAS ÉCOUTÉS.

L'OUVRAGE SUR "LA DÎME ROYALE", IMPRIMÉ CLANDESTINEMENT, EST SAISI EN 1707.

"*SA MAJESTÉ SOUFFRE AUSSI PEU UN MOT HORS DE SA PLACE QU'UN SOLDAT HORS DE SON RANG,*" DIT UN JOUR BENSÉRADE À L'ACADÉMIE FRANÇAISE.

HOMME DE GOÛT, LOUIS XIV FAVORISE LES LETTRES ET LES ARTS, DONT L'ÉCLAT SERT SA RENOMMÉE.

IL IMPOSE AUSSI L'ÉTIQUETTE DANS L'ART...

... MAIS IL ACCORDE DES PENSIONS.

LE ROI CHOISIT COMME HISTORIOGRAPHE UN HOMME DONT IL APPRÉCIE LA LANGUE. IL SE NOMME **JEAN RACINE**...

... ET AIME LE THÉÂTRE. "ANDRO-MAQUE", "PHÈDRE", "ATHALIE"... EN VINGT ANNÉES, DIX TRAGÉ-DIES PEIGNENT LE TROUBLE DES PASSIONS.

LE "BON" LA FONTAINE PROMÈNE SUR LES ÊTRES UN REGARD PERSPICACE...

SELON QUE VOUS SEREZ PUISSANT OU MISÉRABLE LES JUGEMENTS DE COUR VOUS RENDRONT BLANC OU NOIR...

UN HOMME DIVERTIT LA COUR. AUTEUR, ACTEUR, DIRECTEUR DE TROUPE... SES TALENTS SONT MULTIPLES. **MOLIÈRE** JOUE DEVANT LE ROI. MAIS IL A BIENTÔT MAILLE À PARTIR AVEC L'ÉGLISE, LE PARLEMENT, LA MÉDECINE...

TARTUFFE EST INTERDIT, MAIS LE ROI ME PROTÈGE...

VINGT COMÉDIES, VINGT TRIOMPHES. LA DERNIÈRE PREND UN ACCENT TRAGIQUE : MOLIÈRE S'ÉVANOUIT AU 4ᵉ ACTE DU "MALADE IMAGINAIRE." IL MEURT QUELQUES HEURES APRÈS.

DANS SES "SATIRES", BOILEAU N'ÉPARGNE PAS LES GRANDS. LE ROI LUI EN FAIT-IL GRIEF ? IL LE PENSIONNE ! ET DE MÊME PIERRE CORNEILLE.

UN LIVRE PASSE DE MAIN EN MAIN: LES "CONTES DE MA MÈRE L'OYE" D'UN CERTAIN **CHARLES PERRAULT**.

CE CHAT BOTTÉ ME RAVIT. JE GAGERAIS QUE CE " PETIT POUCET " AURA DU SUCCÈS...

À VERSAILLES, LA MUSIQUE EST REINE. LOUIS EN RAFFOLE. UN ITALIEN LE TIENT SOUS SON CHARME : JEAN-BAPTISTE LULLI. SES OPÉRAS FONT RAGE. LE ROI LE NOMME SURINTENDANT DE LA MUSIQUE.

LES BEAUX-ARTS ONT UN AUTRE MAÎTRE, **CHARLES LE BRUN**, QUI DIRIGE UN BATAILLON DE DÉCORATEURS, D'ARCHITECTES, DE GRAVEURS, DE SCULPTEURS, FORT ACTIFS À VERSAILLES.

MON CHER MANSART, LE ROI EST TRANSPORTÉ PAR SON "PALAIS DES EAUX". MARLY LUI PLAÎT !

À PARIS, DEUX ARCS DE TRIOMPHE SE DRESSENT À LA GLOIRE DE LOUIS XIV : LA PORTE SAINT-DENIS, DESSINÉE PAR FRANÇOIS BLONDEL, ET LA PORTE SAINT-MARTIN, DE PIERRE BULLET.

AUCUNE RÉGION DU SAVOIR N'EST LAISSÉE DANS L'OMBRE. EN 1666, UNE ACADÉMIE DES SCIENCES EST FONDÉE. LES PLUS GRANDS SAVANTS D'EUROPE Y SONT INVITÉS : L'ITALIEN CASSINI, LE HOLLANDAIS HUYGHENS, LE DANOIS RÖMER.

LE ROI-SOLEIL MODÈLE SON SIÈCLE. C'EST LUI QUI SUSCITE L'ENTHOUSIASME DES CRÉATEURS...

LA NATION NE FAIT PAS CORPS EN FRANCE. ELLE RÉSIDE TOUT ENTIÈRE DANS LA PERSONNE DU ROI...

MAIS LE MORALISTE LA BRUYÈRE S'INTERROGE, SCEPTIQUE :

Le troupeau est-il fait pour le berger, ou le berger pour le troupeau ?

VOYAGEURS, MARINS, DÉCOUVREURS ÉTENDENT, OUTRE-MER, LA GRANDEUR DU ROYAUME.
FRONTENAC ADMINISTRE LE QUÉBEC...

... JOLLIET ET LE PÈRE MARQUETTE ATTEIGNENT LE MISSISSIPPI ET TRAITENT AVEC LES IROQUOIS.

LE ROI DE FRANCE VOUS TRAITERA COMME SES ENFANTS

CAVELIER DE LA SALLE DESCEND LE "GRAND FLEUVE" JUSQU'À SON EMBOUCHURE ET PREND POSSESSION DE TOUT LE PAYS AU NOM DU ROI.

EN L'HONNEUR DU ROI, NOMMONS-LE LOUISIANE !

ON EXPLORE SOUS TOUS LES CIEUX. EN INDE, FRANÇOIS MARTIN CRÉE LE COMPTOIR DE PONDICHÉRY; EN VINGT ANS, LA VILLE COMPTE CINQUANTE MILLE HABITANTS.

ET BERTRAND D'OGERON, GOUVERNEUR POUR LE ROI DE L'ÎLE DE LA TORTUE, COLONISE SAINT-DOMINGUE...

MAIS LOUVOIS ET VAUBAN SONT MORTS. LE ROI VIEILLISSANT NE QUITTE GUÈRE VERSAILLES. LE CHÂTEAU RESSEMBLE À UN MAUSOLÉE OÙ S'ENTASSENT SES SOUVENIRS.

"ON JOUE, ON BÂILLE, ON S'ENNUIE, ON S'ENVIE, ON SE DÉCHIRE"...

... SOUPIRE MADAME DE MAINTENON.

MONTESQUIEU TIRERA LA CONCLUSION...

Le règne du feu roi a été si long, que la fin en avait fait oublier le commencement...

DANS SON EXIL À CAMBRAI, FÉNELON SE FAIT AMER : ..."CETTE VIEILLE MACHINE DÉLABRÉE ACHÈVERA DE SE BRISER AU PREMIER CHOC." ... IL EST SI TRISTE DE N'ÊTRE POINT MINISTRE !

LAISSONS LE DERNIER MOT *A L'OLYMPIEN MONARQUE QUI LÉGUA **VERSAILLES** : "SI VOUS AVEZ CRU QU'IL FÛT FORT FACILE ET FORT AGRÉABLE D'ÊTRE ROI, VOUS VOUS ÊTES FORT TROMPÉ."

*Adressé à Philippe V d'Espagne, son petit-fils.

JEAN BART ET LES CORSAIRES DU ROI

MON NOM EST PAUL DEVYNCK. JE VAIS VOUS RACONTER LA VIE D'UN REDOUTABLE CORSAIRE DONT J'AI PARTAGÉ LES AVENTURES : MON AMI **JEAN BART !**

NOUS SOMMES NÉS TOUS DEUX À DUNKERQUE, EN 1650. NOS PÈRES, BONS FLAMANDS, MENAIENT BIEN LEURS AFFAIRES ET SAVAIENT S'AMUSER ! DE JOYEUX COMPAGNONS QUI BUVAIENT FERME ET PARLAIENT HAUT !

VERSE, CATHERINE ! J'AI L'ESTOMAC VASTE ; TA BARRIQUE Y TIENDRA !

CROYEZ-MOI, ELLES ÉTAIENT ANIMÉES, LES KERMESSES DU PREMIER DE L'AN ET DE LA SAINT-JEAN ! POURTANT **LES ESPAGNOLS AVAIENT REPRIS NOTRE BONNE VILLE EN 1652...**

CE FUT TURENNE QUI NOUS EN DÉLIVRA !.. DUNKERQUE FUT REMIS AUX ANGLAIS, PUIS RACHETÉ PAR LOUIS XIV EN 1662.- J'AVAIS DOUZE ANS...

DUNKERQUE N'ÉTAIT QU'UN PETIT PORT DE PÊCHEURS. IL ABRITAIT AUSSI DES "CAPRES"* QUI, SUR LEURS EMBARCATIONS LÉGÈRES ...

... GAGNAIENT LA HAUTE MER, PAR DELÀ LES BANCS DE SABLE QUI FERMAIENT LE PORT AUX GROS BÂTIMENTS ENNEMIS.

* DES CORSAIRES ; D'APRÈS LE HOLLANDAIS "KASPER".

LE 2 DÉCEMBRE 1662, LE ROI DE FRANCE NOUS RENDIT VISITE. NOUS LUI FÎMES BON ACCUEIL.

VOICI UN SEIGNEUR QUI A DE BONNES MANIÈRES ET UN AIR AIMABLE !

C'EST MA FOI VRAI !

J'AI DIT : "CORSAIRES", NON POINT **PIRATES** ! EN ATTAQUANT LES BATEAUX MARCHANDS, LE PIRATE SE BATTAIT POUR SON PROPRE PROFIT ...

... LE CORSAIRE, LUI, SE METTAIT **AU SERVICE DU ROI**. DE TOUTE PRISE, IL AVAIT UNE PART. UN DOCUMENT PRÉCIEUX, **UNE LETTRE DE MARQUE**, SIGNÉE DU ROI, LE GARDAIT À L'ABRI DU GIBET SI PAR GUIGNE IL SE FAISAIT PRENDRE.

UN CORSAIRE DEVAIT HISSER LE PAVILLON FRANÇAIS, AFIN QUE LE VAISSEAU ATTAQUÉ DÉCIDE, EN TOUTE CONNAISSANCE DE CAUSE, DE SE RENDRE OU DE RÉSISTER !

QUAND IL SE RENDAIT, AU PREMIER COUP DE SEMONCE, L'ÉTRANGER, METTANT CHALOUPES À LA MER, DEVAIT JUSTIFIER DE SON IDENTITÉ ET DE SON CHARGEMENT...

VOICI MES LETTRES DE MER, CAPITAINE ; JE SUIS HOLLANDAIS, ET...

ET VOUS BATTEZ PAVILLON DANOIS ! VOUS AVEZ MASQUÉ VOTRE VAISSEAU, MONSIEUR. JE LE PRENDS !

À PEINE ARRIVÉ AU PORT, LE VAISSEAU CONFISQUÉ RECEVAIT LA VISITE DES JUGES CHARGÉS D'APPOSER DES SCELLÉS SUR TOUTES LES ISSUES...

...AFIN QUE RIEN NE SOIT DISTRAIT DU PRÉCIEUX CHARGEMENT !

S'IL ÉTAIT DÛMENT ÉTABLI QUE LE VAISSEAU APPARTENAIT À L'ENNEMI, SA CAPTURE ÉTAIT DÉCLARÉE BONNE PAR LE TRIBUNAL DE PRISES.

CAPITAINE VAN DE VELDE, RÉSERVE FAITE DU 1/10: QUI REVIENT À L'AMIRAL DE FRANCE, LA PRISE SERA PARTAGÉE ENTRE L'ARMATEUR, LES OFFICIERS ET L'ÉQUIPAGE...

MAIS REVENONS À JEAN BART ET À NOTRE ENFANCE... PÊCHEURS OU CORSAIRES, NOS PÈRES CONNAISSAIENT PARFAITEMENT LA MER....

NOUS N'AVIONS PAS HUIT ANS, QUE NOUS RÊVIONS DE COURSES...

HÉ! MOUSSAILLON! REGARDE UN PEU OÙ TU METS LES PIEDS AU LIEU DE RÊVER AUX ÉTOILES! AH! AH! AH!

QUATRE ANS PLUS TARD, LA CHANCE NOUS SOURIAIT: NOUS EMBARQUIONS COMME MOUSSES SUR LE "COCHON GRAS" UN MÉCHANT GARDE-CÔTES!

RUDE APPRENTISSAGE! RIEN NE NOUS FUT ÉPARGNÉ: NI LE FROID, NI LE ROULIS, NI LA PLUIE, ET DANS LES VERGUES, LES MANOEUVRES ÉTAIENT PÉRILLEUSES...

DOUCEMENT, PAUL, OU TU VAS M'ÉBORGNER!

EN 1666, PENDANT LA GUERRE ENTRE L'ANGLETERRE ET LES PROVINCES-UNIES DES PAYS-BAS, NOUS NOUS TROUVIONS À BORD DES "SEPT PROVINCES," VAISSEAU DE L'AMIRAL DE RUYTER.*

* LE PLUS GRAND TACTICIEN DE SON ÉPOQUE ET DE SON PAYS, LA HOLLANDE.

611

RUYTER FORÇA L'ENTRÉE DE LA TAMISE, SOLIDEMENT BARRÉE PAR DE FORTES CHAÎNES ... NOUS ÉTIONS STUPÉFAITS !

MAIS, EN 1672, LOUIS XIV DÉCLARA LA GUERRE AUX PROVINCES-UNIES, ET NOUS DÛMES QUITTER LES HOLLANDAIS POUR REGAGNER DUNKERQUE.

LA MEILLEURE FAÇON DE SERVIR LE ROI, MON PETIT PAUL, C'EST DE S'ENGAGER SUR UN CORSAIRE !

CE FUT VITE FAIT ! JE ME SOUVIENS ENCORE DE NOTRE PREMIÈRE PRISE ! LE 2 AVRIL 1674... JEAN COMMANDAIT "LE ROI DAVID", UNE FICHUE BARQUE ARMÉE DE DEUX CANONS. LE BUTIN ? DU CHARBON DE TERRE !

EN MOINS D'UN AN, NOUS FÎMES SEPT BELLES PRISES ! M. COLBERT, ALORS MINISTRE DE LA MARINE, NOUS CITA EN EXEMPLE AUX CORSAIRES MALOUINS ...

QUE TOUTES LES FRÉGATES ET BARQUES LONGUES SOIENT TOUJOURS EN MER, AINSI QUE FONT LES DUNKERQUOIS QUI ONT GAGNÉ CETTE ANNÉE PLUS DE 500.000 ÉCUS !

A DIEU NE PLAISE, CAPITAINE, QUE NOUS LAISSIONS AUX GENS DE DUNKERQUE TOUT L'HONNEUR ET LA GLOIRE !

...LES MALOUINS FIRENT DES PRODIGES! JEAN BART AUSSI! AU PRINTEMPS 1676, COMMANDANT UN NAVIRE DE 26 CANONS, "LA PALME", ESCORTÉ DE 4 VAISSEAUX, IL ATTAQUA VICTORIEUSEMENT 8 GROS BÂTIMENTS HOLLANDAIS!

LE 21 NOVEMBRE, NOUVELLE VICTOIRE: UNE GROSSE CARGAISON DE BOIS, DE PEAUX, ET DE CACAO. L'INTENDANT HUBERT REMERCIA JEAN BART AU NOM DU ROI...

LE ROI VOUS ACCORDE CETTE CHAÎNE D'OR, ET CETTE MÉDAILLE QUI GLORIFIE VOTRE ACTION!

IL HONORE AUSSI MES AMIS, LE CAPITAINE KEYSER, SMALL ET VACKERNIER...

POUR NOUS, LA VIE EÛT ÉTÉ BELLE SANS LA PRÉSENCE À BORD DE CE MAUDIT "ÉCRIVAIN", LE COMMISSAIRE DU ROI...

...QUI VEILLAIT AUX PRISES! UN MANIAQUE DES COMPTES! IL CONSIGNAIT TOUT SUR SON REGISTRE, DE PEUR QUE L'ON DISSIMULE...

VOYONS... NOUS DISONS 300 PEAUX DE VACHES, 50 SACS CONTENANT 20.000 ÉCUS, 30.000 LIVRES DE SUCRE...

ET 5 BARILS D'ÉPICES! OUI! BON, VOUS AVEZ FINI? ON CRAINT PAS LES COUPS DE MER... POUR LES BASSESSES CHERCHEZ PLUS LOIN!

NE VOUS FÂCHEZ PAS, CAPITAINE... MAIS NOUS AVONS CONNAISSANCE DE CERTAINS CORSAIRES QUI DÉTOURNENT LES PRÉCIEUX EFFETS DE LEURS PRISES...

LES "ÉCRIVAINS" N'ÉPARGNÈRENT PAS JEAN BART, MAIS IL CONTINUA DE FAIRE PARLER DE LUI. EN 1675, LA "GAZETTE DE FRANCE" SIGNALE SES EXPLOITS...

LE CAPITAINE BART, DE DUNKERQUE, A ENLEVÉ 26 BATEAUX DE PÊCHE AUX HOLLANDAIS ET 2 FRÉGATES DE 12 CANONS...

ON DIT QU'IL RÔDE SOUVENT AU DOGGER-BANK, ENTRE LES CÔTES ANGLAISES ET HOLLANDAISES... IL SÈME LA TERREUR PARMI LES HARENGUIERS DES PROVINCES-UNIES !

C'EST DANS CES TEMPS-LÀ QUE JEAN ÉPOUSA NICOLE GONTTIÈRE, LA FILLE DU TENANCIER DE "L'ÉTOILE D'OR!" AU LIEU DE RENDEZ-VOUS DES CORSAIRES, CE FUT UNE GRANDE FÊTE !

À PEINE MARIÉ, JEAN REPRIT LA MER... NOUS FÎMES DES PRISES ÉTONNANTES. DES VAISSEAUX CHARGÉS DE POUDRE D'OR, DE BOIS PRÉCIEUX, DE PEAUX, DE SOIERIES ET D'ÉPICES...

LE ROI LES APPRÉCIAIT À LEUR JUSTE VALEUR... JE DÉCLARE DE BONNE PRISE LES NAVIRES MARCHANDS ENLEVÉS À L'ENNEMI ET LES ADJUGE AU CAPITAINE BART...

... À QUI JE VEUX QUE L'ON DONNE LE COMMANDEMENT D'UN VAISSEAU PLUS IMPORTANT !

...CE FUT "LE MARS", UN ROBUSTE BÂTIMENT DE 250 TONNEAUX ARMÉ DE 26 CANONS... POUR PREMIÈRE CAPTURE, UNE FLÛTE CHARGÉE DE VIN DE BORDEAUX ! FAMEUX VIN !

MAIS BIENTÔT, EN AOÛT 1678, LA PAIX DE NIMÈGUE MIT UN TERME AUX LUTTES ENTRE LA FRANCE ET LA HOLLANDE. ELLES AVAIENT COÛTÉ TRENTE-DEUX CAPITAINES ET TROIS MILLE MARINS AUX DUNKERQUOIS. MAIS NOUS AVIONS ENLEVÉ À L'ENNEMI TROIS CENT QUATRE-VINGT QUATRE BÂTIMENTS !

A LA FIN DE LA GUERRE, LE ROI VINT VISITER DUNKERQUE, ACCOMPAGNÉ DU COMMISSAIRE GÉNÉRAL DES FORTIFICATIONS, M. DE VAUBAN.

LA RADE DE DUNKERQUE EST FORT BONNE, SIRE. ELLE PEUT ABRITER PLUS DE CINQ CENTS VAISSEAUX...

...MAIS, POUR EN INTERDIRE L'ENTRÉE À CEUX DE L'ENNEMI, À QUOI BON CES VIEUX REMPARTS DE BOIS ! IL Y FAUDRAIT UN FORT EN MAÇONNERIE !

OUI. LA PROXIMITÉ DE L'ANGLETERRE ET DE LA HOLLANDE L'EXIGE. NOUS FORTIFIERONS DUNKERQUE !

BIENTÔT, UNE IMMENSE ACTIVITÉ RÉGNA DANS LA VILLE...

VOS CONSEILS ME SONT PRÉCIEUX, CAPITAINE BART! NUL MIEUX QUE VOUS NE CONNAÎT LES PASSES PAR LESQUELLES ON PÉNÈTRE AU PORT.

IL EST DE MON DEVOIR, MONSIEUR LE COMMISSAIRE GÉNÉRAL, DE CONTRIBUER À LA DÉFENSE D'UNE CITÉ QUI M'EST CHÈRE!

M. DE VAUBAN FIT COUPER LA BANDE DE SABLE ET CREUSER UN CHENAL, ÉDIFIER DEUX JETÉES FLANQUÉES DE REDOUTES, BÂTIR LE FORT DE RISBAN. CONTRE L'ENSABLEMENT DU PORT, IL PRÉVIT DES ÉCLUSES...

EN JUILLET 1678, LE ROI VINT INSPECTER LES TRAVAUX. LE MARQUIS DE SEIGNELAY, FILS DE M. COLBERT, L'ACCOMPAGNAIT.

EN L'HONNEUR DU MONARQUE, ON FIT ÉVOLUER UN NAVIRE DE 50 CANONS: "L'ENTREPRENANT"

À BORD, LE ROI FÉLICITA LE CAPITAINE, M. LE CHEVALIER DE LHÉRY.

ADMIRABLE ORDONNANCE DE L'ÉQUIPAGE, CHEVALIER. MES COMPLIMENTS...

SA MAJESTÉ, SÉDUITE PAR CE QU'ELLE AVAIT VU, TINT À EN FAIRE PART À M. COLBERT.

...JE SUIS TRÈS CONTENT DES TRAVAUX DU PORT DE DUNKERQUE ET DU VAISSEAU QUE J'AI VISITÉ...

COLBERT MOURUT EN 1683.
M. DE SEIGNELAY, SON FILS,
SE SOUVINT DU CORSAIRE
ET LUI DEMANDA CONSEIL
LORSQUE, CINQ ANS PLUS
TARD, ÉCLATA LA GUERRE
DE LA **LIGUE D'AUGS-
BOURG**.

CETTE LETTRE POUR M. DE
SEIGNELAY...
" LES HOLLANDAIS NE FAISANT
ESCORTER LEURS BATEAUX
MARCHANDS QUE PAR UN OU
DEUX NAVIRES DE GUERRE,
IL SUFFIT DE TROIS BÂTI-
MENTS LÉGERS POUR LES
COMBATTRE... "

INTÉRESSÉ, LE MINISTRE PRIT À SA CHARGE LES DEUX TIERS
DE L'ARMEMENT DE "LA RAILLEUSE" ET DES "JEUX", CONFIÉS À
JEAN BART ET AU CHEVALIER DE FORBIN.
NOUS VENIONS DE QUITTER LE HAVRE, LORSQU'UNE VINGTAINE
DE BÂTIMENTS DE COMMERCE SE MIRENT SOUS NOTRE
PROTECTION...

...EN VUE DE L'ÎLE DE WIGHT,
DEUX ANGLAIS, ARMÉS DE 48
ET DE 44 CANONS, NOUS
PRIRENT EN CHASSE.
SITUATION DÉSESPÉRÉE !
JEAN BART SE PORTA À LA
RENCONTRE DU "NON SUCH".
HÉLAS ! IL PLANTA SON
MÂT DE BEAUPRÉ DANS
LES HAUBANS DE
L'ANGLAIS !

FORBIN VINT À NOTRE SECOURS. MAIS QUAND
LE SECOND VAISSEAU ANGLAIS REJOIGNIT LE
"NON SUCH", LA LUTTE DEVINT INÉGALE.

LÂCHEMENT, LES TROIS NAVIRES QUE NOUS
AVIONS ARMÉS EN GUERRE AVAIENT PRIS
LA FUITE !

PAR BONHEUR, LE CONVOI QUE NOUS PROTÉGIONS ATTEIGNIT BREST. À NOTRE BORD, PLUS DE POUDRE. A PEINE VINGT HOMMES VALIDES ! LA MORT DANS L'ÂME, NOUS NOUS RENDÎMES.

CONFIANCE, COMPAGNONS ! NOUS NE MOISIRONS PAS LONGTEMPS EN ANGLETERRE !

DIEU T'ENTENDE, JEAN !

...JE PUS FAUSSER COMPAGNIE À MES GARDIENS. JE JETAI UNE LIME À MES AMIS, DERRIÈRE LEURS SOLIDES BARREAUX...

TIENS BON, FORBIN ! J'AI BIENTÔT FINI !

FAIS VITE ! MA BLESSURE EST MAUVAISE...

ON NOUS TINT CAPTIFS À PLYMOUTH. MES DEUX COMPAGNONS LANGUIRENT DANS UN LOCAL À PEINE ÉCLAIRÉ PAR UNE LUCARNE. ON M'ENFERMA DANS UNE CELLULE RÉSERVÉE AUX HOMMES D'ÉQUIPAGE...

OUI ! À LA BARBE DES ANGLAIS...

WHO ARE YOU ?

FISHERMEN !

JEAN RAMA PENDANT CINQUANTE-DEUX HEURES !

LE CHEVALIER DE FORBIN SE PRÉSENTA SANS DÉLAI DEVANT SEIGNELAY...

CHEVALIER ! JE VOUS CROYAIS PRISONNIER DES ANGLAIS ! PAR OÙ DIABLE ÊTES-VOUS PASSÉ ?

PAR LA FENÊTRE, MONSEIGNEUR !

AINSI FORBIN FUT-IL FAIT CAPITAINE DE VAISSEAU. ET JEAN BART DE MÊME, SANS L'AVOIR DEMANDÉ...
"J'AI GRONDÉ M. BART, ÉCRIT VAUBAN À SEIGNELAY, DE NE PAS ÊTRE ALLÉ VOUS TROUVER. IL M'A DONNÉ POUR EXCUSE * QUE, NE PARLANT PAS BIEN LE FRANÇAIS, IL N'AVAIT OSÉ SE PRÉSENTER DEVANT LE ROI..."

* FLAMAND D'ORIGINE, JEAN BART PARLAIT UN FRANÇAIS RUGUEUX.

NOUS ÉTIONS PRÊTS POUR D'AUTRES AVENTURES !
AVEC LES FRÉGATES "L'ALCYON," "LE COMTE" "L'HERCULE" "L'AURORE" NOUS DÉTRUISÎMES LES PÊCHÉRIES DE HARENGS DES HOLLANDAIS. NOUS ENVOYÂMES PAR LE FOND NOMBRE DE VAISSEAUX DE GUERRE...

AU COURS DE CES EXPÉDITIONS NOUS FÎMES QUANTITÉ DE BELLES PRISES: DES BATEAUX CHARGÉS DE CÉRÉALES, DE BOIS PRÉCIEUX, DE GOUDRON...

LE ROI REMERCIA JEAN BART : IL REÇUT MILLE ÉCUS, ET SON FILS FRANÇOIS, ÂGÉ DE QUATORZE ANS, FUT NOMMÉ "GARDE-MARINE".

LES DERNIERS JOURS DE MAI 1692 FURENT TRISTES POUR NOTRE FLOTTE. **LA BATAILLE DE LA HOUGUE** FIT BIEN DES MORTS PARMI NOS BRAVES MARINS. M. DE TOURVILLE S'Y BATTIT VAILLAMMENT, MAIS NOUS ÉTIONS CINQUANTE, CONTRE CENT VAISSEAUX ANGLO-HOLLANDAIS...

N'AYANT PU GAGNER SAINT-MALO, CE GRAND MARIN REPARTIT VERS LE NORD, OÙ LES FORCES ENNEMIES S'ÉTAIENT REGROUPÉES. LE 21 MAI, LES ANGLAIS INCENDIAIENT NOS VAISSEAUX, ÉCHOUÉS SOUS LES FALAISES DE LA HOUGUE...

RUDE COUP POUR NOTRE MARINE ! LE ROI VIT BIEN QUE LES ANGLO-HOLLANDAIS ÉTAIENT IMBATTABLES... MAIS JEAN BART AVAIT MONTRÉ LA SUPÉRIORITÉ DES CORSAIRES SUR LES VAISSEAUX DE LIGNE. SA RENOMMÉE S'EN ACCRUT.

LE NOUVEAU SECRÉTAIRE D'ÉTAT À LA MARINE, M. DE PONTCHARTRAIN, COMPTA DÉSORMAIS SUR SON ACTION "SUBTILE ET DÉROBÉE"...

À PARIS, ON MOURAIT DE FAIM, BIEN QUE LE ROI EÛT FAIT DISTRIBUER DU PAIN...

VENIR DE POLOGNE ET DE RUSSIE... MAIS ATTEINDRA-T-IL JAMAIS NOS PORTS ?

ON DIT QUE LE BLÉ DOIT

JEAN BART VEILLE !

NOUS LEVÂMES L'ANCRE LE 26 JUIN 1694. LE 29, NOUS APERÇÛMES UNE BONNE CENTAINE DE VOILES, SE DÉTACHANT DANS LA FROIDE CLARTÉ DU MATIN...

C'ÉTAIT LE CONVOI DE BLÉ, INTERCEPTÉ PAR LES HOLLANDAIS AU LARGE DE LEUR ÎLE DE TEXEL !

CARRÉ BLEU À L'ARTIMON ! A L'ABORDAGE !

ET QUE GRILLE LA CHERVELLE AU PREMIER QUI NE FAIT PAS CHON DEVOIR !

UNE DEMI-HEURE PLUS TARD, NOUS ÉTIONS MAÎTRES DE LA SITUATION. LE HOLLANDAIS* DEMANDAIT GRÂCE !

MA SEULE CONSOLATION, CAPITAINE... EST... D'AVOIR ÉTÉ BATTU... PAR UN HOMME TEL QUE VOUS !

* LE "PRINCE DE FRISE" COMMANDÉ PAR L'AMIRAL HIDDES DE VRIES.

JEAN BART SAUVAIT LA FRANCE DE LA FAMINE. LE PRIX DU BLÉ TOMBA DE 30 LIVRES À 3 LIVRES LE BOISSEAU !

CE FUT FRANÇOIS BART QUI REMIT AU ROI LE PAVILLON HOLLANDAIS PRIS AU VAINCU. SA MAJESTÉ LE REÇUT FORT AIMABLEMENT...

AH! AH! MESSIEURS BART SONT, SEMBLE-T-IL MEILLEURS MARINS QU'ÉCUYERS!

...MAIS LE JEUNE GARDE-MARINE GLISSA MALENCONTREUSEMENT!

LA PRINCESSE DE CONTI VOULUT ENTENDRE LE RÉCIT DU VICTORIEUX COMBAT. ELLE REMIT À FRANÇOIS UNE ROSE...

PRÉSENTEZ CETTE FLEUR À MONSIEUR VOTRE PÈRE. PRIEZ-LE DE L'AJOUTER À SA COURONNE DE LAURIER.

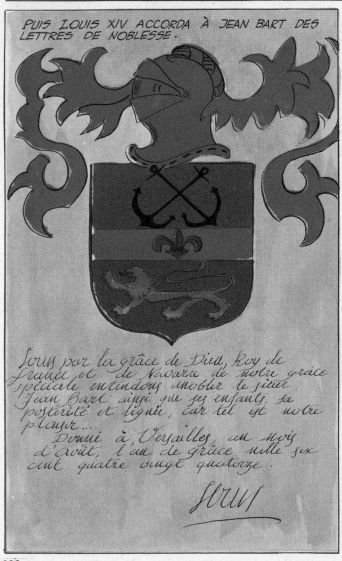

PUIS LOUIS XIV ACCORDA À JEAN BART DES LETTRES DE NOBLESSE.

Louis par la grâce de Dieu, Roy de France et de Navarre de notre grâce spéciale entendons anoblir le sieur Jean Bart ainsi que ses enfants, sa postérité et lignée, car tel est notre plaisir... Donné à Versailles, au mois d'août, l'an de grâce mille six cent quatre vingt quatorze.

Louis

NOUS ÉTIONS CÉLÈBRES ! DE GRANDS PERSONNAGES, LES DUCS DE BOURGOGNE, D'ANJOU, LE PRINCE DE CONTI N'HÉSITÈRENT PAS À PARTICIPER À L'ARMEMENT DE NOS VAISSEAUX... MOYENNANT LA REDEVANCE D'UN TIERS DES PRISES !

MAIS NOUS AVIONS INFLIGÉ TANT DE DÉFAITES AUX ANGLAIS ET AUX HOLLANDAIS QU'ILS RÊVAIENT DE SE VENGER. ILS ENTRE-PRIRENT DE BOMBARDER DUNKERQUE.

JEAN BART LEUR TINT TÊTE. LE 26 SEPTEMBRE 1694, ILS REMETTAIENT À LA VOILE, EMMENANT LEURS BRÛLOTS.

CELUI QUE L'ENNEMI SURNOMMAIT "LE PLUS GRAND PIRATE DE LOUIS XIV" FUT FAIT CHEF D'ESCADRE APRÈS AVOIR BRÛLÉ CINQUANTE-CINQ VAISSEAUX HOLLANDAIS! C'ÉTAIT EN 1696, PEU AVANT LE TRAITÉ DE RYSWICK, QUI METTAIT FIN À LA GUERRE...

SIX ANS PLUS TARD, LE ROI, QUI S'ATTENDAIT À UNE GUERRE À PROPOS DE LA **SUCCES-SION D'ESPAGNE**, ORDONNA QUE DANS NOS PORTS TOUS LES VAISSEAUX FUSSENT ARMÉS.

MALGRÉ UNE MAUVAISE TOUX, JEAN BART VINT INSPECTER "LE FENDANT," QUI MOUILLAIT EN RADE DE DUNKERQUE...

CETTE SORTIE FUT FATALE À MON AMI. JEAN BART MOURUT LE 27 AVRIL 1702, À L'ÂGE DE CINQUANTE-DEUX ANS.

IL FUT INHUMÉ À DUNKERQUE, AU PIED DU MAÎTRE-AUTEL DE L'ÉGLISE SAINT-ÉLOI, EN PRÉSENCE DE SON FILS FRANÇOIS, DE MONSIEUR ANTOINE DE SAINT-PAUL, COMMANDANT DE LA MARINE, ET D'UNE FOULE NOMBREUSE, QUI PLEURAIT.

JEAN BART DISPARU, LA COURSE CONTINUA !
...AVEC LE CHEVALIER DE SAINT-PAUL HÉCOURT,
QUI PRIT SOIXANTE BUSSES*AUX HARENGUIERS
HOLLANDAIS

...LE CHEVALIER DE FORBIN, QUI ATTAQUA VICTORIEU-
SEMENT UN CONVOI HOLLANDAIS AU DOGGER-BANK...

* FÛTS DE 240 LITRES

...RENÉ DUGUAY-TROUIN, QUI S'EMPARA DE
RIO DE JANEIRO EN 1711 ...

...JACQUES CASSARD, QUI RUINA LES
POSSESSIONS ANGLAISES AUX
ANTILLES ...

MAIS LA LASSITUDE GAGNA LES BELLIGÉRANTS.
AUSSI, LE **TRAITÉ D'UTRECHT, SIGNÉ EN 1713**,
PEU AVANT LA MORT DU ROI, FUT-IL BIEN
ACCUEILLI PAR L'EUROPE.
PAIX DUREMENT ACQUISE : L'ANGLETERRE
EXIGEAIT LA DESTRUCTION DES FORTIFICATIONS
DE DUNKERQUE.
JEAN BART NE L'EÛT PAS SUPPORTÉ...

AU SIÈCLE DES LUMIÈRES
LA FAYETTE AU NOUVEAU MONDE

Dessin de Raymond Poivet, texte de Jean Ollivier
Dessin de Eduardo Coelho, texte de Jean Ollivier

HISTOIRE DE FRANCE

BANDES DESSINÉES LAROUSSE

L'AUBE DE TEMPS NOUVEAUX

Quand un gouvernement commence-t-il à perdre la confiance de la population ? et comment ? Il est toujours difficile de le préciser. Ainsi de la monarchie française : quand Louis XV monte sur le trône, elle a encore tout son éclat ; l'impopularité du vieux roi qui vient de mourir ne fait qu'augmenter l'affection dont "ses peuples" entourent Louis le Bien-Aimé. On loue son air vif et gracieux, on vante son esprit et sa sagesse. En réalité, on ne le connaît pas. Les sujets ne demandent qu'à admirer le souverain, à la seule condition qu'il veuille bien ne pas les décevoir. A la fin du règne, c'est l'inverse : il aurait fallu un bien grand roi pour réhabiliter la monarchie.

C'est peu à peu que les choses en sont arrivées là. La personne même du Roi n'y est pas étrangère. Un souverain qui déteste la vie de cour, préfère vivre dans ses appartements, fait lui-même la cuisine et surnomme ses quatre filles Coche, Loque, Chife et Graille, manque certainement de panache. Mais la France s'était accommodée jusque-là de monarques plus excentriques encore. Et, malgré les airs nonchalants et cyniques qu'il se donne, Louis XV est un grand travailleur, un homme de dossiers qui connaît à fond son royaume.

Indécis et timide, il ne crée pas de prospérité économique. Du moins ne l'a-t-il pas contrariée, comme tant de ses prédécesseurs. L'agriculture progresse ; les famines, et leur terrible cortège de peste et de mortalité infantile, disparaissent peu à peu. La population s'accroît régulièrement. Les manufactures, le commerce connaissent un dynamisme sans précédent : chargés de toiles bretonnes, des vaisseaux quittent les ports de Nantes et de Bordeaux, au grand dam du négoce anglais, qu'ils concurrencent. Sucre, café, épices, or, argent, esclaves circulent entre l'Afrique, l'Ancien Monde et le Nouveau.

L'horizon des Français s'élargit, fait lever les idées nouvelles. La "philosophie", "les lumières", c'est-à-dire l'esprit de libre examen, la critique rationnelle, font d'irrésistibles progrès. Les monarchistes diront, après la catastrophe : "C'est la faute à Voltaire, c'est la faute à Rousseau". Au vrai, le maintien de la monarchie était-il compatible avec l'esprit nouveau ? Les philosophes voulaient réformer les institutions, non les détruire. Ils faisaient bon ménage avec une aristocratie dont le raffinement, allié aux premiers élans de la liberté, donnait à la société d'ancien régime un charme incomparable... "Qui n'a pas vécu avant 1789 n'a pas connu la douceur de vivre", dira Talleyrand.

Financiers, philosophes, abbés, petits marquis ou jolies femmes n'auraient pas demandé mieux que de maintenir ce mode d'existence. En cette seconde moitié du siècle, c'est dans les profondeurs du pays que se préparaient les bouleversements.

MON NOM NE VOUS DIRA RIEN. JE SUIS UN VIEIL HOMME DU TEMPS DE LOUIS XV. UN BOURGEOIS DE PARIS. J'AI BEAUCOUP VU, BEAUCOUP ENTENDU. J'AI FRÉQUENTÉ LA COUR ET VOYAGÉ À TRAVERS LA PROVINCE.

...PLUS D'UN DEMI-SIÈCLE, DEPUIS QUE RÈGNE LOUIS... J'ÉTAIS DÉJÀ UN HOMME QUAND IL DEVINT ROI, EN 1715, PETIT ENFANT DE CINQ ANS.

AV SIÈCLE DES LVMIÈRES

L'IDÉE M'EST VENUE DE PORTER QUELQUE JUGEMENT SUR CE DEMI-SIÈCLE D'HISTOIRE. CES ÉCRITS SERONT POUR MOI SEUL, CAR IL SERAIT IMPRUDENT DE LES PUBLIER.

LIBELLES, CHANSONS, LIVRES, ÉCRITS D'UNE PLUME LIBRE, EN ONT ENVOYÉ PLUS D'UN À LA BASTILLE, ET JE NE TIENS PAS À TÂTER DE LA PRISON, COMME AUTREFOIS M. DE VOLTAIRE.

DE MON CABINET DE TRAVAIL, J'AI VUE SUR LE **PALAIS-ROYAL**, CENTRE DU PARIS DES PLAISIRS, COMME DÉJÀ SOUS LA RÉGENCE DE PHILIPPE D'ORLÉANS.

LA RÉGENCE! HUIT ANNÉES FOLLES, POUR OUBLIER LA SÉVÉRITÉ IMPOSÉE PAR MADAME DE MAINTENON. FÊTES, SOUPERS, BALS MASQUÉS À L'OPÉRA SE SUCCÈDENT.

L'ESPRIT EST ROI, LE PLAISIR, SOUVERAIN. BRILLANT, CULTIVÉ, LIBERTIN, PHILIPPE D'ORLÉANS MÈNE CE TOURBILLON.

MESSIEURS LES MUSICIENS, ACCORDEZ VOS VIOLONS.

LAS! LES FINANCES VONT MAL. POUR Y PORTER REMÈDE, LE GOUVERNEMENT S'EN REMET À **JOHN LAW**, UN ÉCOSSAIS. EN 1716, CET AVENTURIER OUVRE UNE BANQUE PRIVÉE, RUE QUINCAMPOIX, TRAITE AU NOM DE L'ÉTAT, FONDE LA COMPAGNIE DU MISSISSIPPI, PROMET MONTS ET MERVEILLES ...

ON FAIT MIROITER AUX YEUX DES PARISIENS LES TRÉSORS DE LA LOUISIANE. DES INDIGÈNES VENUS DES AMÉRIQUES PARADENT DANS PARIS.

YO-HOYYY! YEEEE...

LE PAPIER MONNAIE, LÀ EST LE SECRET.

DE PARTOUT, ON ACCOURT POUR ACHETER LES "PAPIERS DE LAW". DES FORTUNES FABULEUSES S'ÉDIFIENT EN QUELQUES JOURS. CURIEUX ÉCRITOIRE, LE PETIT BOSSU DE LA RUE QUINCAMPOIX !

SOUDAIN, EN MAI 1720, L'ENTHOUSIASME SE CHANGE EN PANIQUE. ON S'ÉTAIT BATTU POUR ACHETER ; ON SE BAT POUR VENDRE. LAW A FAIT FAILLITE.

MA BOSSE PORTE CHANCE !

PLACE, PLACE POUR LE DUC DE BOURBON.

... IL N'ÉTAIT QUE TEMPS DE SE FAIRE REMBOURSER !

QU'IMPORTE ! LE RÉGENT ET SES AMIS POURSUIVENT LA FÊTE. LE CHAMPAGNE COULE À FLOTS.

BUVONS ! LA VIE EST BELLE !

...vie tapageuse ! Mais en d'autres salons, l'esprit brille... On aborde les sujets graves... M.me du Deffand harcèle M. de Voltaire: "Vous combattez toutes les erreurs; mais que mettez-vous à leur place ?..."

EN 1725, UNE ÉMEUTE DE LA FAIM ÉCLATE À PARIS. DEUX MILLE PERSONNES PILLENT LES BOULANGERIES DU FAUBOURG SAINT-ANTOINE.

MORT AUX AFFAMEURS !

PENDEZ LES ACCAPAREURS DE FARINE !

CAR LE PAIN EST, POUR LE PETIT PEUPLE PARISIEN, L'ESSENTIEL DU MENU. QUE SON PRIX S'ÉLÈVE ET C'EST L'ÉMEUTE.

C'EST MA DERNIÈRE MICHE DE PAIN !

SI LA VIANDE EST RARE, ON TROUVE DU POISSON SUR TOUS LES MARCHÉS.

POISSONS D'ÉTANGS! CARPES, ANGUILLES!

TANCHES DE SEINE !

HARENG ! SALÉ, FUMÉ !

AU SUD COMME AU NORD DE LA LOIRE, LA SITUATION DU PAYSAN EST DIFFICILE. DES FRUITS DE SON TRAVAIL, JACQUES BONHOMME NE CONSERVE QU'UN MAIGRE POURCENTAGE...

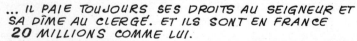

... IL PAIE TOUJOURS SES DROITS AU SEIGNEUR ET SA DÎME AU CLERGÉ. ET ILS SONT EN FRANCE 20 MILLIONS COMME LUI.

VOILÀ NOT'COMTE QUI RENTRE AU BERCAIL...

MON INTENDANT M'A FAIT DIRE QUE LA RÉCOLTE SERA MÉDIOCRE. JE DEVRAI VENDRE QUELQUES TERRES AUX DRAPIERS DE BEAUVAIS... SI JE VEUX TENIR MON RANG À PARIS.

PARIS, C'EST LE CENTRE DE TOUTES LES VANITÉS, AMBITIONS ET INTRIGUES.

SAVEZ-VOUS, CHER MARQUIS, QU'ON APPELLE PARIS LA GRANDE HOSTELLERIE ET LE CAFÉ DE L'EUROPE ?

OUI, MAIS NOS FAUBOURGS SONT TOUJOURS INFESTÉS DE GUEUX ET DE BRIGANDS.

BONS DISCIPLES DE CARTOUCHE *!

* Chef de bande fameux, exécuté en 1721.

AU QUARTIER DU TEMPLE, DES OUVRIERS CESSENT LE TRAVAIL (1724) ET RÉCLAMENT...

CINQ SOUS DE PLUS PAR PAIRE DE BRAS !

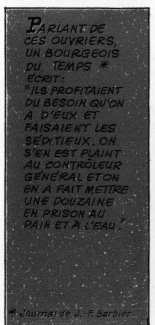

PARLANT DE CES OUVRIERS, UN BOURGEOIS DU TEMPS * ÉCRIT: "ILS PROFITAIENT DU BESOIN QU'ON A D'EUX ET FAISAIENT LES SÉDITIEUX. ON S'EN EST PLAINT AU CONTRÔLEUR GÉNÉRAL ET ON EN A FAIT METTRE UNE DOUZAINE EN PRISON AU PAIN ET À L'EAU."

* Journal de J.-F. Barbier.

UN PEU PLUS TARD, DES ÉMEUTES ÉCLATENT À SAINT-ÉTIENNE, À BOURG, ET EN BRETAGNE.

AU DIABLE LES PERCEPTEURS !

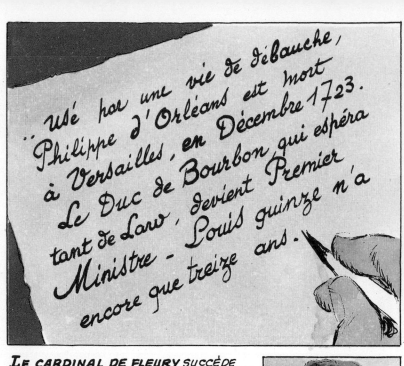

".. Usé par une vie de débauche, Philippe d'Orléans est mort à Versailles, en Décembre 1723. Le Duc de Bourbon qui espéra tant de Law, devient Premier Ministre - Louis quinze n'a encore que treize ans.

CET HOMME QUI MÈNE GRANDE VIE DANS SON CHÂTEAU DE CHANTILLY REPREND LA PERSÉCUTION CONTRE LES PROTESTANTS, CONTRAINT VOLTAIRE À S'EXILER EN ANGLETERRE ET MARIE LE JEUNE ROI À UNE PRINCESSE POLONAISE, **MARIE LESZCZYNSKA.**

LE CARDINAL DE FLEURY SUCCÈDE À M. LE DUC EN 1726. CET HABILE VIEILLARD ENNEMI DE LA GUERRE AVAIT ÉTÉ LE PRÉCEPTEUR DU ROI.

PENDANT DIX-SEPT ANNÉES, LOUIS XV LAISSERA FAIRE SON MINISTRE. LA COUR A REGAGNÉ VERSAILLES. LE CHÂTEAU A RETROUVÉ L'ANIMATION DU TEMPS DU ROI-SOLEIL.

CHAQUE APRÈS-MIDI, QU'IL PLEUVE OU QU'IL VENTE, LE ROI CHASSE. IL A LA PASSION DES CHEVAUX ET DES CHIENS DE MEUTE.

LA POLITIQUE DE PAIX DE FLEURY PORTE SES FRUITS. DURANT VINGT ANNÉES LA FRANCE CONNAÎT LA PROSPÉRITÉ. LE COMMERCE ÉTEND SON CHAMP D'ACTION. L'INDUSTRIE SE TRANSFORME LENTEMENT.

LE CORPS DES PONTS ET CHAUSSÉES* EST À L'ŒUVRE : VINGT-CINQ MILLE KILOMÈTRES DE ROUTES ROYALES.

LIEUE APRÈS LIEUE, NOTRE PROJET PREND FORME.

* Créé en 1717

LE CANAL DE PICARDIE EST INAUGURÉ EN 1738. DOUZE CENTS KILOMÈTRES DE CANAUX FACILITENT DÉSORMAIS LA CIRCULATION DES MARCHANDISES.

TOUT IRAIT BIEN, S'IL N'Y AVAIT CES MAUDITES TAXES !

ICI ET LÀ, IL FAUT VERSER DES DROITS DE PASSAGE, SUR LES FLEUVES COMME SUR LES ROUTES.

LA TRAITE EST DE TRENTE SOUS !

TOUJOURS PAYER !

PLUS DE CINQ MILLE NAVIRES TÉMOIGNENT DE L'ESSOR DU COMMERCE AVEC LES COLONIES D'AMÉRIQUE, DES ISLES ET DES INDES.

BORDEAUX, NANTES, LA ROCHELLE TRAFIQUENT AVEC LES ANTILLES...

AJOUTEZ DEUX MILLE BALLES DE BON TABAC, MILLE DE SUCRE, ET DOUBLEZ LES PIPES* DE RHUM.

* Tonneaux.

...LORIENT, AVEC LA CÔTE D'AFRIQUE, LES COMPTOIRS DE L'INDE, LES ÎLES DE LA SONDE, LA CHINE. C'EST LE PORT DE LA COMPAGNIE DES INDES.

VOUS VENDREZ À MAHÉ MILLE PIPES D'EAU-DE-VIE, ET VOUS RAPPORTEREZ UN CHARGEMENT DE POIVRE ET DE SOIE.

DU CANADA, ON RAPPORTE DES FOURRURES ; D'ANGOLA, DE LA POUDRE D'OR ; DE TURQUIE, DES ÉTOFFES. ON PRATIQUE AUSSI LA TRAITE DES NOIRS, HONTEUX ET PROFITABLE MARCHÉ.

LES CHANTIERS NAVALS EMPLOIENT DES MILLIERS D'OUVRIERS.

LE CONSEIL DU ROI CÈDE À DES COMPAGNIES L'EXPLOITATION DES MINES DE CHARBON. DES POMPES À FEU, IMPORTÉES D'ANGLETERRE, PERMETTENT DE DRAINER L'EAU DES GALERIES.

LES ANGLAIS L'UTILISENT DEPUIS DIX ANS...

CERTAINES ENTREPRISES COMPTENT PLUS D'UN MILLIER D'OUVRIERS. À LILLE, LA FABRIQUE VAN DER CRUISSEN EN EMPLOIE TROIS MILLE AU TRAVAIL DE LA LAINE.

VAN DER CRUISSEN

GRANDS FINANCIERS ET BANQUIERS TIENNENT LE HAUT DU PAVÉ, AMASSENT DE SCANDALEUSES FORTUNES, OBTIENNENT DES TITRES.

MONSIEUR DUJARDIN A UN CAROSSE FLAMBANT NEUF...

IL AURA BIENTÔT DES ARMOIRIES. DEPUIS HIER, LE VOILÀ COMTE. PARIEZ, MON CHER, QU'IL SAURA MARIER SES FILLES DANS LA HAUTE ARISTOCRATIE.

LES PÂRIS, ISSUS D'UNE FAMILLE DE MARCHANDS DU DAUPHINÉ, DEVIENNENT BARONS, MARQUIS, CONSEILLERS DU ROI, FONT À LA COUR LA PLUIE ET LE BEAU TEMPS. ILS PRÊTENT DE L'ARGENT AU TRÉSOR, INFLUENT SUR LA POLITIQUE...

QUARANTE FERMIERS GÉNÉRAUX, CHARGÉS DE PERCEVOIR L'IMPÔT DANS LE ROYAUME, S'ENRICHISSENT...

LE PEUPLE PROTESTE, SOIT! MAIS L'ÉTAT A BESOIN D'ARGENT...

CES PRIVILÉGIÉS SONT DÉTESTÉS DU PEUPLE, HONNIS DES PHILOSOPHES. M. DE VOLTAIRE EXERCE CONTRE EUX SA VERVE.

IL ÉTAIT À BAGDAD, IL Y A BIEN LONGTEMPS, UN FERMIER DES IMPÔTS HONNÊTE...

CET ENRICHISSEMENT PROFITE À LA CAPITALE. DES ARCHITECTES RENOMMÉS CONSTRUISENT DE SOMPTUEUX HÔTELS.

LES PLUS RICHES FONT BÂTIR DES "FOLIES" AU-DELÀ DES BOULEVARDS DE LOUIS XIV.

*Fermier général.

DANS PARIS MÊME, ON SUBSTITUE AUX ENSEIGNES DES ÉCRITEAUX DE FER-BLANC PORTANT LE NOM DES RUES.

UN MILLIER DE RÉVERBÈRES "À L'HUILE" REMPLACENT L'ÉCLAIRAGE AUX CHANDELLES.

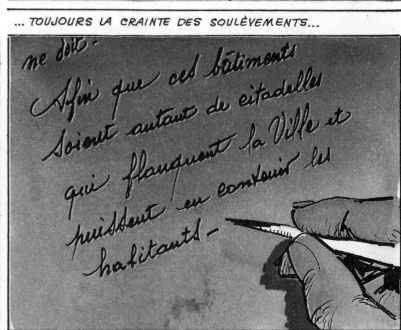

DE GRANDES CASERNES CEINTURENT LES FAUBOURGS...

... TOUJOURS LA CRAINTE DES SOULÈVEMENTS...

ET LE ROI DE CET ÉTAT JUVÉNILE ? DEPUIS LA MORT DU CARDINAL DE FLEURY (1743), C'EST LUI QUI GOUVERNE.

LOUIS LE BIEN AIMÉ. VOILÀ LE NOM QUE LES FRANÇAIS DONNENT À LOUIS XV. IL A DE LA SÉDUCTION, DE LA GRÂCE... ON LE DIT. INDOLENT, SECRET. C'EST UN TIMIDE. IL SE DISTRAIT PAR LA MATHÉMATIQUE ET L'ASTRONOMIE.

UN HOMME "IMPÉNÉTRABLE", RAPPORTE LE MINISTRE D'ARGENSON. A-T-IL QUELQUE ILLUSION SUR SES COLLABORATEURS OFFICIELS ?

INFORMÉ DES AFFAIRES DU MONDE ENTIER, LOUIS XV MENA SECRÈTEMENT SA POLITIQUE ÉTRANGÈRE.

LE ROI A UNE VIE PRIVÉE FORT LIBRE ; ET DE MÊME SES CONTEMPORAINS. SES FAVORITES ?..

... DES FEMMES QUI BRILLENT PAR LE CARACTÈRE ET L'INTELLIGENCE PLUS QUE PAR LA BEAUTÉ : MADAME DE MAILLY, LA DUCHESSE DE CHÂTEAUROUX...

LA REINE ? SOUS SES CHÂLES ET SES RUBANS, LA VERTUEUSE FILLE DE STANISLAS LESZCZYNSKI, MÈRE DE DIX ENFANTS ET PLUS ÂGÉE QUE LOUIS, SE DISPENSE AUPRÈS DES PAUVRES, ATTIRE À ELLE DES GENS RÉFLÉCHIS, RESPECTABLES... LE COIN LE PLUS TRISTE DE LA COUR. RIEN N'Y RETIENT SON SEIGNEUR ENJOUÉ.

À LA TÊTE DE L'ARMÉE DE FLANDRES, LOUIS RÉPOND À UNE OFFENSIVE ANGLO-AUTRICHIENNE. PROMENADE MILITAIRE. LES DAMES SONT DE LA PARTIE. LES FRANÇAIS S'EMPARENT **D'YPRES** EN MAI 1744.

LES AUTRICHIENS MARCHENT SUR L'ALSACE ; EN AOÛT LA SITUATION EST CRITIQUE. LE ROI SE PORTE À METZ.

LOUIS TOMBE GRAVEMENT MALADE. LE CROYANT À L'ARTICLE DE LA MORT, LE PEUPLE S'ÉMEUT.

POURSUIVIE PAR DES CRIS DE HAINE, MADAME DE CHÂTEAUROUX PREND LA FUITE.

VICTOIRE DU PARTI DÉVÔT ET DE L'ÉVÊQUE DE SOISSONS, QUI DÉCLARE, DE LA PART DU SOUVERAIN :

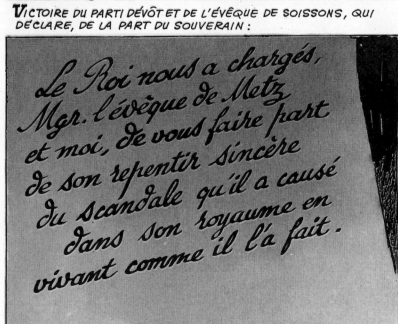

MAIS LOUIS XV GUÉRIT, ET LA JOIE POPULAIRE DÉFERLE. LE BON PEUPLE SALUE SA CONVALESCENCE. DANS LES RUES DE PARIS, LE VIN EST GRATIS...

L'ANNÉE SUIVANTE, L'ARMÉE FRANÇAISE, COMMANDÉE PAR LE **MARÉCHAL DE SAXE**, MET LES TROUPES ANGLAISES EN DÉROUTE À **FONTENOY** (11 MAI 1745). LE ROI PREND UNE PART ACTIVE DANS L'ENGAGEMENT.

AVEC LE DAUPHIN, IL VISITE LE CHAMP DE BATAILLE.

VOYEZ CE QU'IL EN COÛTE À UN BON CŒUR DE REMPORTER DES VICTOIRES. LE SANG DE NOS ENNEMIS EST TOUJOURS LE SANG DES HOMMES !

UNE FEMME TRÈS BELLE EST À PRÉSENT AUPRÈS DE LOUIS : JEANNE-ANTOINETTE LE NORMANT D'ÉTIOLES. DANS SON ENFANCE, SA MÈRE L'APPELAIT DÉJÀ "REINETTE"...

... ELLE DEVINT BIENTÔT **MARQUISE DE POMPADOUR**

FEMME DE GOÛT, ELLE PROTÈGE LES ÉCRIVAINS, LES ARTISTES, LES PHILOSOPHES DE **L'ENCYCLOPÉDIE**...

... VOLTAIRE EST CONQUIS.

JE M'INTÉRESSE À VOTRE BONHEUR PLUS QUE VOUS NE PENSEZ, ET PEUT-ÊTRE N'Y A-T-IL À PARIS PERSONNE QUI Y PRENNE UN INTÉRÊT PLUS SENSIBLE.

PENDANT PRÈS DE VINGT ANS, MADAME DE POMPADOUR RÉGNERA SUR LE CŒUR DU ROI ET INFLUENCERA LA POLITIQUE DE LA FRANCE.

SOUPERS, DANSES, FÊTES, SPECTACLES ! À TRIANON, MARLY OU FONTAINEBLEAU, LA MARQUISE, MIEUX QUE PERSONNE, SAIT DISTRAIRE LE ROI.

À VERSAILLES MÊME, LA POMPADOUR MONTE UN PETIT THÉÂTRE. ELLE JOUE VOLONTIERS, DANS LES COMÉDIES DE MOLIÈRE ET LES OPÉRAS DE LULLI.

ON ENVIE LA FAVORITE, ON L'ATTAQUE. ELLE CONFIE À UNE AMIE :

VOUS ÊTES LA PLUS CHARMANTE FEMME QU'IL Y AIT EN FRANCE !

SIRE, VOUS ME COMBLEZ !

LE MINISTRE MAUREPAS AVAIT ÉCRIT UNE ÉPIGRAMME CONTRE MADAME DE POMPADOUR. LE 16 AVRIL 1749, IL REÇOIT SA LETTRE DE RENVOI, LE RELÉGUANT LOIN DE PARIS.

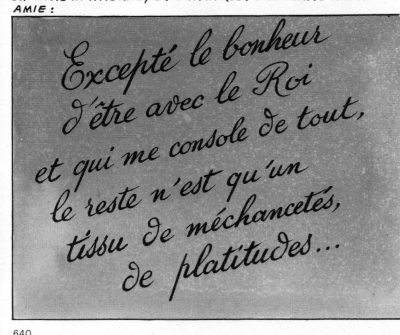

Excepté le bonheur d'être avec le Roi et qui me console de tout, le reste n'est qu'un tissu de méchancetés, de platitudes...

AH... ON GASPILLE LES FINANCES. LA VIE EST FORT CHÈRE. LE PEUPLE EN EST EXASPÉRÉ... LA FAVORITE ENCOURAGE LES ARTS, MAIS TOUT CELA EST BIEN COÛTEUX...

L'INSOLENCE DE CERTAINS ÉCRITS PASSE L'ENTENDEMENT! DES CHANSONS FONT LA JOIE DES FAUBOURGS.

LES GRANDS SEIGNEURS S'AVILISSENT LES FINANCIERS S'ENRICHISSENT ET LES POISSON* S'AGRANDISSENT. C'EST LE RÈGNE DES VAURIENS... RIENS... RIENS...

* Madame de Pompadour était née poisson.

EN MAI 1750 LES RUMEURS GROSSISSENT. ON DIT QUE DES HOMMES DE POLICE ENLÈVENT DES ENFANTS DANS PARIS.

... ET ON LES ENVOIE DANS LES COLONIES D'AMÉRIQUE !

DES ÉMEUTES ÉCLATENT. ARCHERS DU GUET ET GENS DE POLICE SONT MALMENÉS. ON DÉVASTE DES LOCAUX PUBLICS.

MORT AUX "MOUCHES!"*

QU'ON LES PENDE !

* Mouchards.

À PARIS, OÙ LA RÉVOLTE GRONDE, UN BOURGEOIS* S'INQUIÈTE. IL NOTE DANS SON JOURNAL: "IL EST DANGEREUX DE LAISSER CELA TOUT À FAIT IMPUNI ET DE LAISSER CONNAÎTRE AU PEUPLE SA FORCE, QUI EST REDOUTABLE."

* Barbier, avocat au Parlement.

LE PEUPLE S'AGITE! MAIS CLERGÉ ET PARLEMENT FONT AUSSI PARLER D'EUX. EN 1753, "CES MESSIEURS DE LA ROBE" RÉDIGENT LES **GRANDES REMONTRANCES** AU ROI ET DÉCIDENT DE SUSPENDRE L'EXERCICE DE LA JUSTICE.

LE RÉGENT A EU GRAND TORT DE LEUR RENDRE LE DROIT DE REMONTRANCE ...ILS FINIRONT PAR PERDRE L'ÉTAT.

VIF EST LE MÉCONTENTEMENT DU ROI.

IL EST TEMPS DE METTRE AU PAS CES PETITS ROBINS!

VOUS NE SAVEZ PAS CE QU'ILS FONT ET CE QU'ILS PENSENT... C'EST UNE ASSEMBLÉE DE RÉPUBLICAINS!

ET PUIS EN VOILÀ ASSEZ! LES CHOSES, COMME ELLES VONT, DURERONT BIEN AUTANT QUE MOI!

LES ENTRAVES À LA CIRCULATION DES DENRÉES EXASPÈRENT LA BOURGEOISIE COMMERÇANTE. **LA GABELLE** * EST HONNIE. GARE AUX CONTREBANDIERS!

PAUVRES DIABLES! CONDAMNÉS AUX GALÈRES!

* Impôt sur le sel.

LOUIS MANDRIN, "CAPITAINE-GÉNÉRAL DES CONTREBANDIERS", MÈNE DES EXPÉDITIONS DANS LE SUD-EST ET LE CENTRE DE LA FRANCE, VENDANT AU RABAIS TABAC OU ÉTOFFES DE SOIE ET D'INDIENNE.

PRENANT LA DÉFENSE DES PAYSANS DE SAVOIE, IL ACCUEILLE À COUPS DE FUSIL LES FERMIERS GÉNÉRAUX.

ALLEZ, MES MANDRINS, SERVEZ-LEUR LA POUDRE ET LE PLOMB!

IL A L'APPUI DU PEUPLE, QUI VOIT EN LUI UN JUSTICIER.

MANDRIN! VIVE MANDRIN!

FAIS-LEUR RENDRE GORGE, MANDRIN.

AU NOUVEAU MONDE, ON SE BAT DEPUIS DES ANNÉES POUR LES POSSESSIONS DU **CANADA** ET DE LA VALLÉE DE L'OHIO. UNE GUERRE D'EMBUSCADES ET DE FORTS DONT PERSONNE NE SE SOUCIE.

AUX INDES, **DUPLEIX**, GOUVERNEUR DE CHANDERNAGOR, NÉGOCIE AVEC LE GRAND MOGOL UN TRAITÉ QUI RENFORCE LA DOMINATION FRANÇAISE SUR CET IMMENSE PAYS.

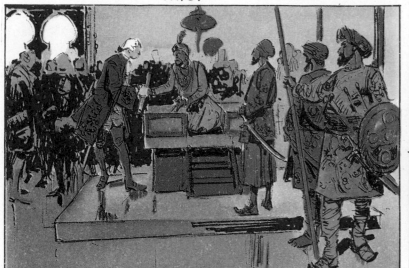

... C'EST LA **COMPAGNIE DES INDES** QUI EN TIRE LE PLUS GRAND PROFIT.

POINT DE VICTOIRE, POINT DE CONQUÊTES. DES MARCHANDISES, ET L'AUGMENTATION DES ACTIONS.

DÉJÀ FORT OCCUPÉE DANS SES COLONIES, LA FRANCE S'ENGAGE BIENTÔT, AU CÔTÉ DE L'AUTRICHE, DANS UN CONFLIT CONTRE **FRÉDÉRIC II** DE PRUSSE ET L'ANGLETERRE DE **WILLIAM PITT**: LA SINISTRE GUERRE DE SEPT ANS (1756-1763).

COMBLE D'INFORTUNE, LE 5 JANVIER 1757, LE ROI EST VICTIME D'UN ATTENTAT. UN COUP DE COUTEAU DANS LE FLANC.

QU'ON LE GARDE, ET QU'ON NE LE TUE PAS ! JE N'EN REVIENDRAI PAS...

... MAIS LA PLAIE SE CICATRISE VITE.

DAMIENS, UN EXALTÉ, FAVORABLE AU PARLEMENT QUI HARCELAIT LOUIS, VOULAIT DONNER AU ROI UN AVERTISSEMENT. IL EST EXÉCUTÉ EN PLACE DE GRÈVE.

LES PARISIENS MANIFESTENT.

VIVE LE ROI !

ENCORE UN COUP DU PARLEMENT !

RÉTABLI, LE ROI DEMEURE SOMBRE.

LA BLESSURE EST PLUS PROFONDE QUE VOUS CROYEZ, CAR ELLE VA JUSQU'AU CŒUR.

BIEN COMMENCÉE, LA GUERRE TOURNE MAL. LE 11 NOVEMBRE 1757, SOUBISE EST BATTU À ROSSBACH PAR LES PRUSSIENS.

ON CHANSONNA LE MALCHANCEUX. MAIS, PLUS HEUREUX À SONDERSHAUSEN, IL FUT FAIT MARÉCHAL DE FRANCE.

Soubise dit, sa lanterne à la main, J'ai beau chercher... où diable est mon armée? Elle était là pourtant hier matin... Me l'a-t-on prise, ou l'aurais-je égarée?

AU CANADA, LE MARQUIS DE MONTCALM RÉSISTE HÉROÏQUEMENT À L'ARMÉE ANGLAISE. EN VAIN. EN 1759, QUÉBEC EST ENLEVÉE. MONTRÉAL TOMBE L'ANNÉE SUIVANTE.

AUX INDES, LALLY-TOLLENDAL A SUCCÉDÉ À DUPLEIX... IL MANQUE D'ENVERGURE. LES ANGLAIS S'EMPARENT DU BENGALE, REJETTENT LES FRANÇAIS DANS PONDICHÉRY.

RÈGNE DÉCONCERTANT... DES LUEURS ÉCLATANTES... DES OMBRES. POURTANT CE SIÈCLE M'APPARAÎT GRAND. PEUT-ÊTRE UN JOUR L'APPELLERA-T-ON **LE SIÈCLE DES LUMIÈRES.**

DES IDÉES NOUVELLES POURRAIENT BIEN L'EMPORTER. **L'ESPRIT DE RAISON** EST PLUS FORT QUE LA CENSURE, LES LETTRES DE CACHET, L'EXIL OU LA BASTILLE.

TROIS ÉCRIVAINS ONT DOMINÉ LES LETTRES DE CE TEMPS.

VOLTAIRE
"J'AI PASSÉ MA VIE À CHERCHER, À PUBLIER CETTE VÉRITÉ QUE J'AIME!"

DIDEROT
PÈRE DE L'ENCYCLOPÉDIE...
"LA CONTRAINTE DES GOUVERNEMENTS DESPOTIQUES RÉDUIT L'ESPRIT SANS QU'ON S'EN APERÇOIVE."

ROUSSEAU
"POUVANT ÊTRE INÉGAUX EN FORCE OU EN GÉNIE, LES HOMMES DEVIENNENT TOUS ÉGAUX PAR CONVENTION ET DE DROIT"...

CHAQUE SOIR, LE CAFÉ PROCOPE S'ANIME. LES ENCYCLOPÉDISTES, D'ALEM-
BERT, HELVÉTIUS, D'HOLBACH RIVALISENT A QUI BOUSCULERA LE MIEUX LES
IDÉES REÇUES.

MONSIEUR DE MONTESQUIEU AFFIRME QUE L'ANGLETERRE EST LE PAYS LE PLUS LIBRE DU MONDE.

ON S'EN PREND FORT À L'AUTORITÉ.

D'ALEMBERT, AUX LECTEURS DE L'ENCYCLOPÉDIE :
" IL FAUT TOUT EXAMINER, TOUT REMUER, SANS EXCEPTION
ET SANS MÉNAGEMENTS. "
ET ROUSSEAU ..." LES DEUX MOTS **PATRIE** ET **CITOYEN**
DOIVENT ÊTRE EFFACÉS DES LANGUES MODERNES. "

DES IMPRIMERIES CLANDESTINES FONCTIONNENT. LIBRAIRES
ET COLPORTEURS DIFFUSENT AUSSI DES OUVRAGES IMPRIMÉS
À AMSTERDAM ET À GENÈVE.

LES QUESTIONS ÉCONOMIQUES SUSCITENT UN
INTÉRÊT GÉNÉRAL.

TROP DE RÈGLEMENTS ENTRAVENT LE NÉGOCE. IL FAUT Y METTRE FIN.

ON COURT AU THÉÂTRE. M. DE BEAUMARCHAIS A DE CES HARDIES-
SES ! CONTRE LA SOCIÉTÉ DU TEMPS, IL NE MÂCHE PAS SES
MOTS. IL FERAIT BEAU LE VOIR UN JOUR METTRE EN SCÈNE QUEL-
QUE ESPRIT IMPERTINENT...

J'ÉTAIS NÉ POUR ÊTRE COURTISAN... RECEVOIR, PRENDRE ET DEMANDER, VOILÀ LE SECRET EN TROIS MOTS.

"... LES ARTISTES NOUS GÂTENT ! **BOUCHER** PEINT DES FEMMES SUBLIMES... M. **CHARDIN** SE MIRE DANS DES CUIVRES... ET **PIGALLE**, LE SCULPTEUR ! UN CISEAU BIEN RÉALISTE... ET EN ARCHITECTURE, **GABRIEL** PASSE TOUT POUR L'ÉLÉGANCE...

LES SCIENCES NE SONT PAS DÉLAISSÉES. **M. DE BUFFON** VIENT D'ÉCRIRE UNE HISTOIRE NATURELLE. ADMIRABLE OUVRAGE. ON Y APPREND TOUT : L'ORIGINE DU SYSTÈME SOLAIRE, LA FORMATION DE LA TERRE...

DANS SON TRAITÉ DE LA MÉCANIQUE, D'ALEMBERT LANCE LES PRINCIPES DE LA DYNAMIQUE.

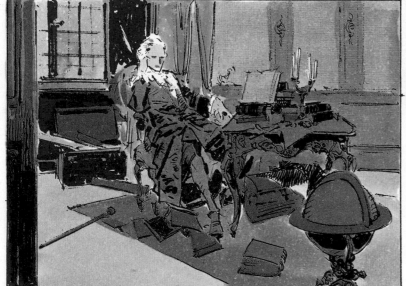

ON NE TARIT PAS D'INVENTION. À JOUY-EN-JOSAS, **OBERKAMPF** INSTALLE UNE MANUFACTURE OÙ L'ON IMPRIME L'ÉTOFFE D'INDIENNE...

LE BOURREAU DE PARIS A BRÛLÉ PUBLIQUEMENT LE LIVRE DE MON AMI HELVÉTIUS, INTITULÉ "DE L'ESPRIT." BRÛLE-T-ON DES **IDÉES ?..**

DE SA RETRAITE DE FERNEY, VOLTAIRE MULTIPLIE LES PAMPHLETS ; AUTANT DE BRÛLOTS CONTRE L'INJUSTICE

MAIS LES ARMÉES DE LOUIS XV SONT BATTUES SUR TOUS LES FRONTS. PAR LE TRAITÉ DE PARIS (1763), LE ROI RENONCE À LA PLUS GRANDE PARTIE DE L'EMPIRE COLONIAL. LES ÎLES DU SUCRE RESTENT FRANÇAISES, ET NOUS GARDONS AUX INDES ASSEZ DE COMPTOIRS POUR Y TRAFIQUER.

"QUELQUES ARPENTS DE NEIGE", PERSIFLE VOLTAIRE. LE MINISTRE CHOISEUL SE CONSOLE BIEN MAL...

NOUS AVONS PERDU LE CANADA. SI VOUS COMPTIEZ SUR NOUS POUR LES FOURRURES D'HIVER, C'EST EN ANGLETERRE QU'IL FAUT VOUS ADRESSER...

DEPUIS FÉVRIER 1763, UNE STATUE ÉQUESTRE DE LOUIS XV S'ÉLÈVE SUR LA PLACE QUI PORTE SON NOM*. QUATRE STATUES DES VERTUS EN ORNENT LE SOCLE.

* Aujourd'hui, place de la Concorde.

ET LE PEUPLE CHANSONNE...

"GROTESQUE MONUMENT, INFÂME PIÉDESTAL ! LES VERTUS SONT À PIED, LE VICE EST À CHEVAL..."

...OÙ EST LE TEMPS DU BIEN-AIMÉ ?

EN JUILLET DE LA MÊME ANNÉE, L'ABBÉ LABATTE PRÊCHE À SAINT-EUSTACHE...

TÔT OU TARD, LA RÉVOLUTION ÉCLATERA DANS CE ROYAUME. LA CRISE EST VIOLENTE ; LA RÉVOLUTION NE PEUT ÊTRE QUE TRÈS PROCHAINE...

LA BASTILLE JETTE SON OMBRE SUR LE TURBULENT FAUBOURG SAINT-ANTOINE... ON CHANTE DANS PARIS...

LA TOUR, PRENDS GARDE, PRENDS GARDE DE TE LAISSER ABATTRE !

La Fayette au Nouveau Monde

J'AI GARDÉ BEAUCOUP D'AMIS EN AMÉRIQUE. POUR EUX, AU TRAIN OÜ VONT LES CHOSES, L'ANGLETERRE SERA BIENTÔT EN GUERRE AVEC SES COLONIES DE LA CÔTE EST.

LE COLONEL-BARON DE KALB A SÉJOURNÉ LONGUEMENT À NEW-YORK ; IL SAIT DE QUOI IL PARLE. LE MINISTRE FRANÇAIS CHOISEUL L'AVAIT DÉPÊCHÉ, SIX ANS PLUS TÔT, AVEC MISSION D'OBSERVER LES ÉVÉNEMENTS.

LE MOIS DERNIER, À PHILADELPHIE, LE CONGRÈS DES PATRIOTES A MIS À L'INDEX LES MARCHANDISES ANGLAISES. DÉJÀ, LE COMITÉ DE VIGILANCE DU MASSACHUSETTS * ÉTABLIT DES DÉPÔTS D'ARMES.

LA "PROTECTION" BRITANNIQUE PÈSE SUR LES COLONIES. DÈS 1765, L'AGITATION S'AMPLIFIE. À BOSTON, ON BRÛLE LES ACTES NOTARIÉS.

VIVE L'INDÉPENDANCE ! AU FEU LES ÉDITS !

À BAS L'IMPÔT SUR LE TIMBRE !

Une des colonies.

650

Il y a un grand esprit d'indépendance et de licence chez tous les individus de ce pays.

ESPRIT LUCIDE...

Quelque mesure que la cour puisse prendre, le pays sera trop puissant avec le temps pour souffrir d'être gouverné de si loin.

DANS LE NORD, À BOSTON, CAPITALE DE LA NOUVELLE-ANGLETERRE, VIT UNE BOURGEOISIE COMMERÇANTE, D'ORIGINE ANGLO-HOLLANDAISE

LONDRES A DÉCIDÉ DE RELEVER LES DROITS DE DOUANES !

MON AÏEUL ÉTAIT FRANÇAIS. IL A FUI LES PERSÉCUTIONS CONTRE LES RÉFORMÉS EN 1685.

AU CENTRE, LES COLONIES DE NEW-YORK, NEW-JERSEY ET PENNSYLVANIE SONT PEUPLÉES D'ÉMIGRÉS DANOIS, ALLEMANDS ET FRANÇAIS.

DANS LE SUD, UNE ARISTOCRATIE DE SOUCHE ANGLO-SAXONNE RÈGNE SUR LES PLANTATIONS DE MARYLAND, VIRGINIE ET CAROLINE. ELLE EXPLOITE LE TABAC ET LE RIZ.

HENRY, AUX DERNIÈRES DÉPÊCHES LES TROUPES ONT TIRÉ SUR BOSTON !

AU TOTAL, TROIS MILLIONS DE COLONS QUI REFUSENT DE PLUS EN PLUS D'ÊTRE ASSUJETTIS À LA COURONNE BRITANNIQUE.

ON DIT QUE LES COLONS VONT SECOUER LES CHAÎNES OÙ L'ANGLETERRE TIENT LE PAYS.

EN FRANCE, L'ESPRIT DES PHILOSOPHES EST À LA MODE. ON SE PASSIONNE POUR TOUT CE QUI SECOUE L'AMÉRIQUE...

TOUT CE QUI PEUT FRAPPER LES ANGLAIS FAIT JUBILER PARIS.

JE REVIENS DE LONDRES. LE PARLEMENT ANGLAIS NE SAIT OÙ DONNER DE LA TÊTE.

LA CHAMBRE DES LORDS CONNAÎT DES SÉANCES ORAGEUSES. LE DUC DE RICHMOND PRÔNE LA CONCILIATION.

L'AMÉRIQUE ÉTANT DE FAIT INDÉPENDANTE, IL FAUT TRAITER COÛTE QUE COÛTE AVEC ELLE.

MAIS, DANS LE CLAN DES IRRÉDUCTIBLES, ON NE DÉMORD PAS.

IL EST DANS LES PRINCIPES DE NE JAMAIS ABANDONNER LA SUPRÉMATIE DE NOTRE PAYS.

LE 20 AVRIL 1775, LE GÉNÉRAL ANGLAIS GAGE PREND LA TÊTE D'UNE FORTE COLONNE ET, À LEXINGTON, PRÈS DE BOSTON, IL CONFISQUE UN DÉPÔT D'ARMES... C'EST METTRE LE FEU AUX POUDRES.

LES "INSURGENTS" ATTAQUENT LE DÉTACHEMENT. GAGE LAISSE PLUS DE DEUX CENTS HOMMES SUR LE TERRAIN.

PUISQU'ILS VEULENT LA GUERRE !

*Américains insurgés

En mai, la Virginie chasse son gouverneur anglais et des miliciens américains s'emparent de la place de Ticonderoga.

POUR NOS LIBERTÉS, EN AVANT !

Le 15 juin, un planteur de Virginie, George Washington, est nommé commandant en chef des armées. Ardent patriote, il avait pris la tête de la milice de son état.

LES ANGLAIS SE REPLIENT. BOSTON EST À NOUS !

En mars 1776, il contraint une armée anglaise à évacuer Boston.

En juin, Thomas Jefferson, John Adams et Benjamin Franklin, réunis en comité, préparent le texte de la DÉCLARATION D'INDÉPENDANCE...

VIVE L'INDÉPENDANCE !

...qui sera votée le 4 juillet et proclamée quatre jours plus tard.

LA NOUVELLE SE RÉPAND DANS PARIS. À LA VILLE, COMME À LA COUR, ON APPLAUDIT. DISCIPLES DES PHILOSOPHES, DE JEUNES NOBLES LIBÉRAUX S'EXALTENT.

IL Y A LÀ-BAS DES LAURIERS À CUEILLIR !

L'ÉCRIVAIN BEAUMARCHAIS A LE GOÛT DE L'AVENTURE. IL ARME UN NAVIRE ET LIVRE DES ARMES AUX INSURGENTS.

LA CAUSE EST JUSTE, ET IL Y AURAIT DE L'ARGENT À GAGNER...

UN JEUNE NOBLE ACQUIS À LA CAUSE AMÉRICAINE, GILBERT MOTIER DE LA FAYETTE, PREND CONTACT AVEC LES ENVOYÉS DU CONGRÈS AMÉRICAIN À PARIS, SILAS DEANE ET ARTHUR LEE.

NOTRE AMI, LE BARON DE KALB, COLONEL DANS LE RÉGIMENT DU COMTE DE BROGLIE, RECRUTE DES OFFICIERS POUR NOTRE ARMÉE.

LE MARQUIS DE LA FAYETTE RENCONTRE LE BARON DE KALB À CHAILLOT.

J'AI DE LA FORTUNE, JE SUIS LIBRE. JE VOUS OFFRE MES SERVICES.

VINGT ANS, MARIÉ À ADRIENNE DE NOAILLES, DE DEUX ANS SA CADETTE, PÈRE D'UNE PETITE FILLE... QU'IMPORTE ! RIEN NE DÉTOURNE LA FAYETTE DE SES PROJETS.

IL NÉGOCIE L'ACHAT D'UN VAISSEAU, ET REJOINT LE BARON DE KALB À PAUILLAC.

J'APPRENDS QUE LE ROI S'OPPOSE À MON DÉPART... ET MON BEAU-PÈRE NE PARTAGE PAS MON ENTHOUSIASME...

... MAIS "LA VICTOIRE" LÈVE L'ANCRE LE 26 MARS 1777.

DANS LE PETIT PORT DE LOS PASAJES, EN ESPAGNE, ELLE FAIT UNE PREMIÈRE ESCALE.

JE RETOURNE EN FRANCE PLAIDER MA CAUSE.

KALB ÉCRIT À SA FEMME :

Je n'ai pas cru devoir lui conseiller de braver son beau-père et l'ordre du Roi. Je ne crois pas qu'il vienne me rejoindre.

LA FAYETTE APPREND QU'UNE LETTRE DE CACHET EST LANCÉE CONTRE LUI. RIEN N'ÉBRANLE SA DÉCISION. IL REJOINT KALB ET LES VOLONTAIRES DE "LA VICTOIRE", LE 17 AVRIL.

KALB M'A ATTENDU...

655

LE 25 MAI 1777, BENJAMIN FRANKLIN PREND LA PAROLE DEVANT LE CONGRÈS DES ÉTATS-UNIS.

LE MARQUIS DE LA FAYETTE, UN JEUNE FRANÇAIS D'ILLUSTRE FAMILLE, EMBRASSE NOTRE CAUSE. IL VIENT SE JOINDRE À NOUS.

LE 13 JUIN, "LA VICTOIRE" TOUCHE LA TERRE AMÉRICAINE À SOUTH-INLET, EN CAROLINE DU SUD.

L'AMÉRIQUE!

GEORGETOWN, CHARLESTON, PETERSBURG, PHILADELPHIE, AUTANT D'ÉTAPES OÙ L'ON FAIT FÊTE AUX VOLONTAIRES EN ROUTE VERS LE NORD.

MONSIEUR DE LA FAYETTE, MAJOR-GÉNÉRAL DE L'ARMÉE DES ÉTATS-UNIS!

À CINQ MILES DE PHILADELPHIE, LE LONG DE LA RIVIÈRE SCHUYLKILL, GEORGE WASHINGTON RENCONTRE LE MARQUIS. C'EST LE DÉBUT D'UNE GRANDE AMITIÉ.

ENSEMBLE, ILS INSPECTENT LES DÉFENSES DE LA RIVIÈRE DELAWARE.

MONTRER MA PAUVRE ARMÉE À UN OFFICIER QUI VIENT DE QUITTER LES TROUPES FRANÇAISES!

JE SUIS ICI POUR APPRENDRE ET NON POUR ENSEIGNER.

NOBLE RÉPONSE QUI VA DROIT AU CŒUR DE L'AMÉRICAIN.

LE 11 SEPTEMBRE, BAPTÊME DU FEU À BRANDYWINE, CONTRE LES TROUPES ANGLAISES DU GÉNÉRAL CORNWALLIS. LA FAYETTE EST AU CŒUR DES COMBATS.

JE SUIS TOUCHÉ...

FAITES FACE !

UNE BALLE LUI TRAVERSE LA JAMBE ALORS QU'IL REJOINT SES HOMMES, MALMENÉS PAR L'ADVERSAIRE.

CONVALESCENT, IL ÉCRIT AU COMTE DE BROGLIE.

JE VAIS M'AMUSER À GUERROYER TOUT CET HIVER. IL N'EST PAS POSSIBLE DE QUITTER L'AMÉRIQUE EN SI BEAU CHEMIN.

LE 25 NOVEMBRE, PRÈS DE GLOUCESTER, IL CULBUTE UNE FORCE DE 400 MERCENAIRES HESSOIS.

COURONNÉ DE GLOIRE, LA FAYETTE PREND LE COMMANDEMENT D'UNE DIVISION DE VIRGINIENS. MAIS QUELLE DIVISION ! DES HOMMES DÉPENAILLÉS, À DEMI-NUS, DÉPOURVUS DE MUNITIONS !

POURTANT, À SARATOGA, CES MILICES IMPROVISÉES ONT ÉCRASÉ DES ANGLAIS. LA FRANCE ACCORDE OFFICIELLEMENT SON APPUI AUX INSURGENTS (1778).

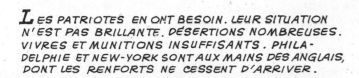

LES PATRIOTES EN ONT BESOIN. LEUR SITUATION N'EST PAS BRILLANTE. DÉSERTIONS NOMBREUSES. VIVRES ET MUNITIONS INSUFFISANTS. PHILADELPHIE ET NEW-YORK SONT AUX MAINS DES ANGLAIS, DONT LES RENFORTS NE CESSENT D'ARRIVER.

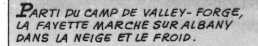

PARTI DU CAMP DE VALLEY-FORGE, LA FAYETTE MARCHE SUR ALBANY DANS LA NEIGE ET LE FROID.

QUEL CLIMAT! NOUS SOMMES LOIN, GIMAT* DE LA DOUCEUR DE PARIS!

* Aide de camp; l'un des premiers volontaires.

LE LAC CHAMPLAIN EST BIEN FROID. PAS D'ESPOIR D'Y VOIR POUSSER DES LAURIERS...

IL SIGNE UN TRAITÉ D'ALLIANCE AVEC LES IROQUOIS SUR LA RIVIÈRE MOHAWK.
"CINQ CENTS HOMMES, FEMMES ET ENFANTS BARIOLÉS DE COULEURS ET DE PLUMES", ÉCRIT-IL.

TU ES UN BRAVE, HOMME BLANC. JE TE DONNE LE NOM DE KAYEWLA!

EN PENNSYLVANIE, OÙ IL EST REVENU, WASHINGTON LUI CONFIE UNE NOUVELLE TÂCHE.

JE VOUS CHARGE DE TENIR LE PAYS ENTRE LA DELAWARE ET LA SCHUYLKILL, ET DE BLOQUER PHILADELPHIE..

JUSQU'EN JUIN **1778** IL EST SUR LA BRÈCHE. À BARREN HILL, IL MANQUE SE FAIRE PRENDRE. ATTAQUE SURPRISE DE **7000** ANGLAIS ! IL S'EN TIRE PAR UNE RETRAITE HABILE.

JE CROIS QUE CLINTON* A RENONCÉ...

Général anglais.

REVANCHE LE **28 JUIN**. CLINTON EST BATTU AU COMBAT DE **MONTMOUTH**.

N'AIE CRAINTE, GIMAT. LES CHIRURGIENS TE REMETTRONT SUR PIED !

LA FAYETTE MONTE À BORD DU VAISSEAU-AMIRAL. D'ESTAING LUI CONFIE SES PROJETS.

MONSIEUR LE MARQUIS, J'AI L'INTENTION DE DÉBARQUER MES TROUPES À RHODE-ISLAND.

EN JUILLET, UNE ESCADRE FRANÇAISE, COMMANDÉE PAR LE COMTE D'ESTAING, SE PRÉSENTE ENFIN SOUS NEW YORK. LA MARINE ROYALE ENTRE DANS LA GUERRE.

MAIS LA PRESSION ANGLAISE OBLIGE L'AMIRAL À Y RENONCER. IL PRÉFÈRE ATTAQUER L'ENNEMI DANS SES POSSESSIONS DES ANTILLES. LA FAYETTE, MALADE, DOIT REGAGNER LA FRANCE...

IL FAIT SES ADIEUX À WASHINGTON, PROMET DE REVENIR. LE **10 JANVIER 1779**, IL EMBARQUE SUR "L'ALLIANCE" FRÉGATE AMÉRICAINE DE **32 CANONS**.

À VERSAILLES, LA FAYETTE EST REÇU EN HÉROS PAR LES MINISTRES MAUREPAS ET VERGENNES.

MONSIEUR LE MARQUIS, L'ÉCHO DE VOS HAUTS FAITS EST VENU JUSQU'À NOUS.

LE ROI LOUIS XVI LUI ACCORDE UN ENTRETIEN. POUR LA FORME, IL LUI INFLIGE UNE SANCTION: HUIT JOURS D'ARRÊT CHEZ SON BEAU-PÈRE.

EN PARTANT, VOUS AVEZ CONTREVENU À NOS ORDRES, MONSIEUR.

REBELLE AU DÉPART, LE VOICI "FAVORI ET TRIOMPHANT"* LA COUR LUI FAIT FÊTE. ON L'APPLAUDIT À LA COMÉDIE-FRANÇAISE. L'OPINION PUBLIQUE SUIT DE PRÈS LA RÉVOLUTION D'AMÉRIQUE. LE BONHOMME FRANKLIN EST TRÈS POPULAIRE À PARIS.

* Mémoires de La Fayette.

AUX ANTILLES, LE LIEUTENANT-GÉNÉRAL D'ESTAING MÈNE UNE BRILLANTE CAMPAGNE.

IL FAUT EN FINIR! DÉLOGEONS LES ANGLAIS DES ÎLES QU'ILS TIENNENT ENCORE. CHASSONS-LES DE CE BEL AVANT-POSTE!

EN JUIN, IL DÉBARQUE SUR L'ÎLE SAINT-VINCENT ET S'EMPARE DE KINGSTOWN.

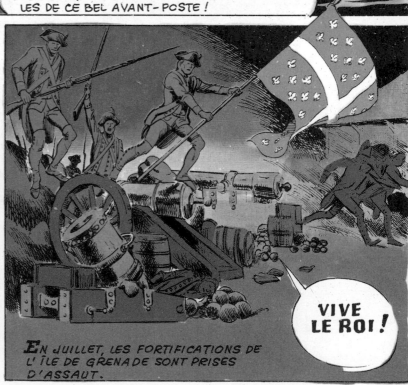

EN JUILLET, LES FORTIFICATIONS DE L'ÎLE DE GRENADE SONT PRISES D'ASSAUT.

VIVE LE ROI!

L'ESCADRE ANGLAISE DE L'AMIRAL BYRON, MALMENÉE AU CAP SAINT-GEORGE, SE REPLIE SUR SAINT-CHRISTOPHE...

RAOUMM!

... MAIS À L'AUTOMNE, D'ESTAING ET LES TROUPES AMÉRICAINES DU GÉNÉRAL **LINCOLN** ÉCHOUENT DEVANT SAVANNAH, EN GÉORGIE.

FAITES SONNER LA RETRAITE !

A PARIS, LA FAYETTE FAIT LE SIÈGE DU MINISTRE VERGENNES.

SA MAJESTÉ EST RÉSOLUE À ENVOYER UN CORPS D'ARMÉE À NOS ALLIÉS D'AMÉRIQUE.

LE COMTE DE ROCHAMBEAU COMMANDERA LE CORPS EXPÉDITIONNAIRE. LA FAYETTE AVAIT BRIGUÉ LA PLACE...

M. DE VERGENNES ME CHARGE D'ALLER ANNONCER À WASHINGTON ET AU CONGRÈS LE PROCHAIN ENVOI DE SECOURS.

LA FAYETTE AVAIT ESPÉRÉ MISSION PLUS GLORIEUSE... IL DÉBARQUE À BOSTON À LA FIN DU MOIS D'AVRIL **1780**.

ENFIN LES RENFORTS ! IL ÉTAIT TEMPS !

LE 10 JUILLET 1780, LA FLOTTE TRANS- PORTANT LE CORPS D'ARMÉE DE ROCHAMBEAU – 6000 HOMMES – ARRIVE À NEWPORT.

LE 25, LA FAYETTE RENCONTRE LE LIEUTENANT-GÉNÉRAL* À NEWPORT.

... LES DÉPÊCHES DU GÉNÉRAL WASHINGTON, MONSIEUR.

* Grade de Rochambeau, à l'époque.

... D'EXCELLENTS TIREURS !

LE 7 AOÛT, LA FAYETTE, MAJOR GÉNÉRAL DE L'ARMÉE AMÉRICAINE, PREND LE COM- MANDEMENT D'UNE DIVISION D'ÉLITE DE DEUX MILLE AMÉRICAINS.

AUX CÔTÉS DE ROCHAMBEAU, DES OFFICIERS DE VALEUR. LA FINE FLEUR DE LA NOBLESSE FRANÇAISE SERT AUX ÉTATS-UNIS... LE COMTE DE CHARLUS, LE DUC DE LAUZUN, LE CHEVALIER DE CHASTELLUX, LE VICOMTE DE NOAILLES, BEAU-FRÈRE DE LA FAYETTE.

1781. AU DÉBUT DE L'ANNÉE, SUR ORDRE DE WASHINGTON, LA FAYETTE SE DIRIGE VERS LE SUD. CAMPAGNE DÉCISIVE, DE PHILADELPHIE...

LE 20 AOÛT, LE BARON DE KALB TOMBE SOUS LES COUPS À LA BATAILLE DE CAMDEN, EN CAROLINE DU SUD.

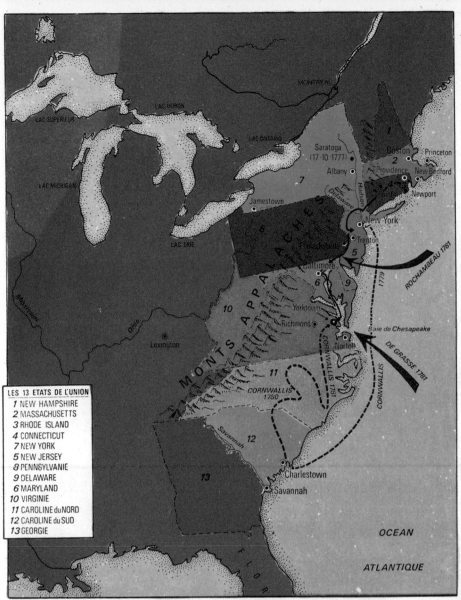

LES 13 ÉTATS DE L'UNION
1 NEW HAMPSHIRE
2 MASSACHUSETTS
3 RHODE ISLAND
4 CONNECTICUT
7 NEW YORK
5 NEW JERSEY
8 PENNSYLVANIE
9 DELAWARE
6 MARYLAND
10 VIRGINIE
11 CAROLINE du NORD
12 CAROLINE du SUD
13 GEORGIE

... À WILLIAMSBURG ET PORTSMOUTH, OÙ IL BLOQUE BENEDICT ARNOLD, LE GÉNÉRAL TRAÎTRE, PASSÉ AU SERVICE DE L'ANGLETERRE L'ANNÉE PRÉCÉDENTE.

EN AVRIL IL EST À BALTIMORE. LE COMMANDANT EN CHEF LE PRESSE DE REJOINDRE L'ARMÉE DU GÉNÉRAL GREENE, AU SUD.

IL VISITE MOUNT VERNON, LA DEMEURE DE SON AMI GEORGE WASHINGTON.

LE GÉNÉRAL GREENE DEMANDE QUE VOUS MARCHIEZ SUR RICHMOND, CAPITALE DE LA VIRGINIE.

LES ORDRES SONT FORMELS. MAIS LES SOLDATS, ORIGINAIRES DU NORD, RÉPUGNENT À ALLER SE BATTRE DANS LE SUD. LES DÉSERTIONS SE MULTIPLIENT.

LE 29 AVRIL 1781 IL ENTRE DANS RICHMOND, DAMANT LE PION AU GÉNÉRAL ANGLAIS PHILLIPS, QUI SE PRÉPARE À PRENDRE LA VILLE...

PHILLIPS HÉSITE À DONNER L'ATTAQUE. IL SE REPLIE SUR PETERSBURG !

Si je livre bataille je serai mis en pièces, la milice sera dispersée. Si je refuse le combat, le pays se croira abandonné. Je me décide donc à une guerre d'escarmouche.

HOU-OUR-RAAH !

SES CRAINTES SONT JUSTIFIÉES. UNE ARMÉE DE 7000 HOMMES, COMMANDÉE PAR **LORD CORNWALLIS**, SE RAPPROCHE DE PETERSBURG ET REJOINT L'ARMÉE D'ARNOLD.

LA FAYETTE LANCE DES APPELS À L'AIDE. L'ENNEMI EST EN FORCE.

JE NE SUIS MÊME PAS ASSEZ FORT POUR ME FAIRE BATTRE...

L'ANGLAIS CORNWALLIS A UN BRILLANT PASSÉ. SES FORCES SONT CINQ FOIS SUPÉRIEURES À CELLES DE LA FAYETTE.

THE BOY CANNOT ESCAPE ME...

... L'ENFANT NE PEUT M'ÉCHAPPER - L'ENFANT, C'EST LA FAYETTE. OR, LE MARQUIS ORGANISE UNE RETRAITE EN BON ORDRE. IL OPÈRE SA JONCTION AVEC LES PENNSYLVANIENS DU GÉNÉRAL WAYNE.

LA FAYETTE ET LES GÉNÉRAUX WAYNE ET BUTLER REGROUPENT LEURS FORCES. LORD CORNWALLIS BAT EN RETRAITE VERS WILLIAMSBURG.

NE LÂCHONS PAS L'ENNEMI. SUIVONS LE PAS À PAS.

AU COMBAT DE GREEN-SPRING, LE 6 JUILLET 1781, LE MARQUIS INTRÉPIDE FAIT FACE.

SON CHEVAL DE MAIN* EST TUÉ PRÈS DE LUI.

* Cheval de secours.

IL REÇOIT UN COURRIER DE WASHINGTON...

LE COMMANDANT EN CHEF A RALLIÉ LES TROUPES DE ROCHAMBEAU. ILS FONT ROUTE VERS NOUS.

...CEPENDANT QUE LA FLOTTE DU CHEF D'ESCADRE DE GRASSE FAIT VOILE VERS LA BAIE DE LA CHESAPEAKE.

...AVEC ORDRE DE COUPER À CORNWALLIS TOUTE VOIE DE RETRAITE VERS LE SUD !

LE GÉNÉRAL ANGLAIS REPLIE SON ARMÉE SUR YORKTOWN, OÙ D'AUTRES COLONNES LE REJOIGNENT.

RAOUMM!

LE 6 SEPTEMBRE 1781, L'ESCADRE DE GRASSE ATTAQUE LA FLOTTE ANGLAISE DE L'AMIRAL HOOD ET LUI INFLIGE UNE CUISANTE DÉFAITE.

HOURRAH!

LES RENFORTS! À NOUS! MARCHONS SUR CORNWALLIS!

LE 14, LES ARMÉES DE ROCHAMBEAU ET DE WASHINGTON REJOIGNENT LES TROUPES DE LA FAYETTE SUR LA RIVIÈRE YORK.

LES FORCES CONJUGUÉES MARCHENT SUR LE CAMP RETRANCHÉ DE YORKTOWN.

ICI SE JOUERA LE DESTIN DES ÉTATS-UNIS...

DANS LA PREMIÈRE SEMAINE D'OCTOBRE, L'ÉTABLISSEMENT DU SIÈGE SE POURSUIT. LES HOMMES DE LA FAYETTE ET LES SOLDATS DU ROYAL-SOISSONNAIS OUVRENT UNE TRANCHÉE VERS LE CAMP.

9 ET 10 OCTOBRE. LES BATTERIES ALLIÉES PILONNENT YORKTOWN.

ALLONS, SOLDATS! SERVONS DE LA FONTE AUX ROUGETS*!

LES DEUX REDOUTES QUI DÉFENDENT LE CAMP SONT PRISES D'ASSAUT DANS LA NUIT DU 14.

* Aux Anglais, portant un uniforme rouge.

LE LENDEMAIN, SIX CENTS HOMMES D'ÉLITE DE LA GARNISON ANGLAISE TENTENT UNE SORTIE, S'EMPARENT DE DEUX BATTERIES, ENCLOUENT LES PIÈCES.

LES ANGLAIS...

TRAHISON!

LE VICOMTE DE NOAILLES ET LE CHEVALIER DE CHASTELLUX LES REPOUSSENT TAMBOUR BATTANT.

LE 17, LORD CORNWALLIS SE REND.

DEUX JOURS PLUS TARD, ROCHAMBEAU, WASHINGTON ET LE GÉNÉRAL ANGLAIS SIGNENT L'ACTE DE CAPITULATION, À MOORE-HOUSE.

HUIT MILLE ANGLAIS ET HESSOIS SONT FAITS PRISONNIERS. 215 CANONS ET 24 DRAPEAUX RESTENT AUX MAINS DES VAINQUEURS.

LA CHUTE DE YORKTOWN MARQUE UN TOURNANT DE LA GUERRE D'INDÉPENDANCE; C'EST LA FIN DE LA DOMINATION ANGLAISE.

LA FAYETTE ÉCRIT AU MINISTRE DE MAUREPAS...

LORD CORNWALLIS DEMANDE À LE RENCONTRER.

JE CONNAIS VOTRE GRAND CŒUR... JE VOUS RECOMMANDE MES HOMMES.

La pièce est jouée, Monsieur le Comte. Le cinquième acte vient de finir.

MILORD, LES AMÉRICAINS SE SONT TOUJOURS MONTRÉS HUMAINS ENVERS LES ARMÉES PRISONNIÈRES.

LA FAYETTE QUITTE BOSTON À BORD DE "L'ALLIANCE" LE 23 DÉCEMBRE 1781. L'ARMÉE DE ROCHAMBEAU RESTE AUX ÉTATS-UNIS.

MON CHER CŒUR !

UN MOIS PLUS TARD, LE MARQUIS EST À PARIS. VIVEMENT ÉMUE, SA FEMME S'ÉVANOUIT À LA DESCENTE DU CARROSSE QUI LES A EMMENÉS À L'HÔTEL DE NOAILLES.

22 JANVIER 1782... IL EST L'HÔTE DU ROI À VERSAILLES.

UN TRAITÉ, SIGNÉ À VERSAILLES LE 3 SEPTEMBRE 1783, RECONNAÎT L'EXISTENCE DE LA RÉPUBLIQUE FÉDÉRÉE DES ÉTATS-UNIS D'AMÉRIQUE. LA FAYETTE AVAIT OBTENU GAIN DE CAUSE POUR SES AMIS ...

... DES HOMMES INDÉPENDANTS, QUI SE SONT BATTUS JUSQU'AU BOUT POUR LA LIBERTÉ. IL EST TOUT À FAIT GAGNÉ AUX IDÉES NOUVELLES, CE GRAND SEIGNEUR LIBÉRAL ...

IL ÉCRIT À WASHINGTON, QUI S'EST RETIRÉ À MOUNT VERNON, DANS SES PLANTATIONS, ET LUI SUGGÈRE D'AFFRANCHIR SES ESCLAVES NOIRS.

IL JUGE AVEC SÉVÉRITÉ LA COUR D'ESPAGNE.

" J'AI VU DES **GRANDS** BIEN PETITS, SOURTOUT LORSQU'ILS SONT À GENOUX, ET IL Y A LÀ DE QUOI FAIRE ÉTERNUER UN ESPRIT INDÉPENDANT. "

EN 1783, LA DISETTE SÉVIT EN BASSE-AUVERGNE, OÙ LA FAYETTE POSSÈDE DES DOMAINES ...

... ET DES GRENIERS REGORGEANT DE BLÉ.

MONSIEUR LE MARQUIS, VOILA LE MOMENT DE VENDRE VOTRE GRAIN !

... NON. C'EST LE MOMENT DE LE DONNER.

LE SORT DES **PROTESTANTS** L'INQUIÈTE. IL CONNAÎT LES VEXATIONS QU'ILS SUBISSENT DANS LES CÉVENNES. IL RÉCLAME POUR EUX **LA LIBERTÉ POLITIQUE**.

VOTRE CAUSE EST LA MIENNE. J'INTERVIENDRAI POUR VOUS AUPRÈS DU CHANCELIER :

*C*URIEUX DE TOUT CE QUI EST NOUVEAU, IDÉES, SCIENCES, MORALE, LA FAYETTE SUIT LES TRAVAUX DE **LAVOISIER**. EN **1783**, LE CHIMISTE RÉALISE LA SYNTHÈSE DE L'OXYGÈNE ET DE L'HYDROGÈNE.

... ET **PILÂTRE DE ROZIER** EFFECTUE AU-DESSUS DE PARIS LA PREMIÈRE ASCENSION EN MONTGOLFIÈRE.

*I*L LIT LES PHILOSOPHES, QUI CHERCHENT DES SOLUTIONS AU MALAISE SOCIAL. MONTESQUIEU, VOLTAIRE, ROUSSEAU LUI OUVRENT DES HORIZONS NOUVEAUX.

DANS SON DOMAINE DE MONTBARD, L'ILLUSTRE **BUFFON**, POURSUIT SES ÉTUDES SUR LES MINÉRAUX ET LANCE LES BASES DE LA GÉOLOGIE MODERNE.

VOLTAIRE EST MORT DEPUIS CINQ ANS MAIS DÈS **1783**, DIDEROT, VOULANT ÉVITER LES RIGUEURS DE LA CENSURE, PUBLIE EN PRUSSE LES ŒUVRES COMPLÈTES DU GRAND ÉCRIVAIN.

DIEU ET LA LIBERTÉ*!

✱ Voltaire, bénissant le petit-fils de Benjamin Franklin.

ENCYCLOPÉDIE,

OU

DICTIONNAIRE RAISONNÉ

DES SCIENCES,

DES ARTS ET DES MÉTIERS,

PAR UNE SOCIÉTÉ DE GENS DE LETTRES.

Mis en ordre & publié par M. *DIDEROT*, de l'Académie Royale des Sciences & des Belles Lettres de Prusse ; & , quant à la PARTIE MATHÉMATIQUE, par M. *D'ALEMBERT*, de l'Académie Royale des Sciences de Paris , de celle de Prusse , & de la Société Royale de Londres.

Tantùm series juncturaque pollet,
Tantùm de medio sumptis accedit honori! HORAT.

TOME PREMIER.

A PAR

Chez
BRIASSON, *rue Saint Jacques*
DAVID l'aîné, *rue S*
LE BRETO
DURAND

DIDEROT MEURT EN **1784**, LAISSANT UNE ŒUVRE IMMENSE, CRITIQUE ET GÉNÉREUSE.

LE MARIAGE DE FIGARO, INTERDIT L'ANNÉE PRÉCÉDENTE, EST JOUÉ LE 24 AVRIL. BEAUMARCHAIS PORTE A LA SCÈNE LA SATIRE DU GOUVERNEMENT.

UN PUBLIC ENTHOUSIASTE APPLAUDIT CETTE CHARGE. LES NOBLES NE SONT PAS LES MOINS ENTHOUSIASTES. POURTANT FIGARO LEUR ANNONCE DE MAUVAISES NOUVELLES... "COMME LE GRONDEMENT LOINTAIN DE LA RÉVOLUTION QUI SE PRÉPARE.*"

✱ Pierre Larousse.

UN SOURDE TENSION ANIME LE ROYAUME...
À LA FIN DE L'ANNÉE **1786**, LE MINISTRE
CALONNE RÉUNIT À VERSAILLES L'ASSEM-
BLÉE DES NOTABLES, QUI SIÉGERA PLUSIEURS
MOIS.

LA FAYETTE ENTRE EN CONFLIT AVEC LE COMTE
D'ARTOIS, QUI PRÉSIDE AUX TRAVAUX.

QUOI, MONSIEUR,
LA CONVOCATION
DES ÉTATS
GÉNÉRAUX ?

LA FAYETTE, QUI A
COMBATTU CONTRE LES
ABUS DU POUVOIR ET
LE GASPILLAGE DES
FINANCES, SE FAIT
PASSIONNÉ.

OUI,
MONSEIGNEUR,
ET MÊME
MIEUX QUE
CELA...

AU DUC
D'ORLÉANS,
LIBÉRAL, QUI
A PROTESTÉ,
LE ROI LANCE
UNE RÉPONSE
FAMEUSE.

C'EST LÉGAL,
PARCE QUE JE LE
VEUX !

QUELQUES MOIS PLUS TARD,
LOUIS XVI SE HEURTE AUX
MEMBRES DU PARLEMENT
À PROPOS DES ÉDITS DE
FINANCES.

C'EST ILLÉGAL...

NOUS SOMMES EN 1787. LA RÉPUBLIQUE DES ÉTATS-
UNIS D'AMÉRIQUE MET EN PLACE SA CONSTITUTION. ELLE
EST LE SYMBOLE D'UNE SOCIÉTÉ NOUVELLE. LES IDÉES
QU'ELLE SÈME PRÉPARENT L'HEURE DE LA RÉVOLUTION
FRANÇAISE.

LA NATION OU LE ROI

VIVE LA NATION !

Dessins de José Bielsa, texte de Pierre Castex.
Dessins de Maurillo Manara, texte de Roger Lécureux.

HISTOIRE DE FRANCE

BANDES DESSINÉES LAROUSSE

LA RÉVOLUTION DE 1789

Quand on charge François Rude, en 1835, de décorer l'Arc de triomphe, il sculpte, au-dessus des combattants de 1792, costumés en guerriers à l'antique, une femme qu'on n'oublie plus, après l'avoir une fois regardée. L'air farouche, les traits convulsés par la fureur, les yeux exorbités, le bras tendu brandissant un glaive, elle n'est qu'une énorme bouche hurlante : il n'est pas de meilleur symbole de la Grande Révolution.

Elle avait pourtant commencé très sagement. Malgré la résistance, vite surmontée, du roi et d'une poignée de privilégiés, on avait appliqué les grandes idées nées au XVIIIᵉ siècle : les libertés individuelles, la représentation nationale, le consentement de l'impôt, la séparation des pouvoirs. Libre désormais, et maîtresse de son destin, la Nation peut surmonter les obstacles qui se présentent sur son chemin par des réformes progressives, en évitant les bouleversements sanglants. Mais l'euphorie est de courte durée : bientôt la tempête se lève. Les décors de la fête civique s'écroulent, les visages rassurants des premiers élus – nobles, prêtres, négociants, gens de savoir et de distinction – disparaissent. A leur place, des hommes, hier encore inconnus, deviennent célèbres dans toute l'Europe : des avocats obscurs, des journalistes sans le sou, des écrivains de mansarde, des rêveurs... Au-dessous encore, le peuple des ateliers et des boutiques, gens de rien, ou gens de peu, anime les comités de surveillance, les sociétés populaires ; partout, à Paris, en province, aux armées, les sans-culottes sont la tête et le bras de la Nation. Comme toutes les grandes révolutions, celle de 1789 a révélé au monde, et au pays d'abord, des profondeurs inconnues de lui-même, une foule d'hommes et de talent entièrement nouveaux. Beaucoup se laissèrent gagner par la corruption : l'appât des richesses, tout bonnement, ou la corruption plus subtile du pouvoir. Mais combien d'autres, illustres ou obscurs, ont donné l'exemple de "vertus", de force d'âme, de dévouement, qu'on croyait disparus depuis l'Antiquité !

Que veulent les hommes de l'an II ? Il n'est plus question de jouir tranquillement, en bons bourgeois ayant du bien au soleil, des libertés conquises par la Révolution. "La Liberté ou la mort !" proclament leurs étendards. Ils veulent l'égalité entre les citoyens ; ils déclarent la guerre à l'Europe, guillotinent le roi, combattent la religion, instaurent la dictature du Comité de salut public. Il s'agit bien de l'œuvre administrative – considérable pourtant – de la Révolution ! Un mot magique semble résumer tout ce pour quoi ils combattent : la République. Non pas le bien commun, qui est son sens premier – mais une divinité exigeante et sombre, pour laquelle ils se font tuer, par dizaines de milliers, sur le front, ou périssent sur la guillotine. Une grande figure qui les pousse à aller au-delà d'eux-mêmes : cette femme mystérieuse que Rude a sculptée, et qu'on entend hurler encore si on y prête l'oreille.

1788 : MAUVAISE ANNÉE ! DES RÉCOLTES DÉSASTREUSES, LA DISETTE... LES SOURDES MENÉES DE LA NOBLESSE ET DES PARLEMENTS CONTRE LA MONARCHIE...

À GRENOBLE, AU MOIS DE JUIN, LES SOLDATS CHASSENT LE PARLEMENT DU PALAIS DE JUSTICE. À L'APPEL DES COMMERÇANTS ET DES AVOCATS, LA POPULATION LES ATTAQUE À COUPS DE TUILES.

LA NATION OU LE ROI

UN MOIS APRÈS CETTE **JOURNÉE DES TUILES**, LES NOTABLES DU TIERS ÉTAT SONT RÉUNIS PAR L'AVOCAT MOUNIER AU **CHÂTEAU DE VIZILLE**. ILS DÉCOUVRENT QU'ILS PEUVENT PARLER HAUT ET FORT.

EXIGEONS LA CONVOCATION DES ÉTATS GÉNÉRAUX.

NOBLES ET ECCLÉSIASTIQUES SE JOIGNENT À L'ASSEMBLÉE. SOUS L'ŒIL ADMIRATIF DE SON FIDÈLE BAZIN, L'AVOCAT BARNAVE PREND LA PAROLE...

IMPOSONS UNE CONSTITUTION INSPIRÉE DES ANGLAIS.

C'EST PLAISIR DE SERVIR DES MAÎTRES SI ÉCLAIRÉS !

PARBLEU, MAIS PAS ASSEZ TÉMÉRAIRES POUR LANCER DES TUILES...

LA FRANCE ENTIÈRE EXIGE LA CONVOCATION DES ÉTATS GÉNÉRAUX. LOUIS XVI CÈDE.

JE SUGGÈRE LE 1ER MAI 1789...

L'ANCIEN MINISTRE NECKER EST POPULAIRE. MALGRÉ L'HOSTILITÉ DE LA COUR, IL EST RAPPELÉ PAR LE ROI.

SIRE, LES DÉPUTÉS DU TIERS DOIVENT ÊTRE ÉGAUX EN NOMBRE À CEUX DU CLERGÉ ET DE LA NOBLESSE RÉUNIS.

SOIT ! ILS SIÉGERONT À VERSAILLES. NOUS POURRONS CHASSER À LOISIR PENDANT LEURS SÉANCES.

L'HIVER EST RUDE. LES VIVRES MANQUENT. POUSSÉS PAR LA FAIM, LES PAYSANS AFFLUENT DANS LES VILLES POUR Y MENDIER. LES ÉMEUTES SONT FRÉQUENTES.

ÉLU PAR LE TIERS ÉTAT DE GRENOBLE, BARNAVE S'INSTALLE À VERSAILLES. OCCASION RÊVÉE POUR BAZIN DE VISITER PARIS ET LE CÉLÈBRE JARDIN DU PALAIS-ROYAL.

À MIDI TRÈS EXACTE-MENT, CE CANON-CHRO-NOMÈTRE TONNERA SOUS L'EFFET DU SOLEIL.

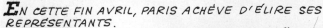

EN CETTE FIN AVRIL, PARIS ACHÈVE D'ÉLIRE SES REPRÉSENTANTS.

VOTEZ POUR M. BAILLY !

NOTRE AMI DESMOULINS SEMBLE BIEN LANCÉ !

LES BÈGUES ONT LA RAGE DE HARANGUER !

LA VISITE CONTI-NUE. VOICI BAZIN AU FAUBOURG SAINT-ANTOINE.

REVEILLON VEUT RÉDUIRE LES SALAIRES À 15 SOLS PAR JOUR !

LA LIVRE DE PAIN EST PASSÉE À 4 SOLS !

ALLONS LUI PARLER !

FABRICANT DE PAPIERS PEINTS, REVEILLON A PRIS LA FUITE EN APPRE-NANT QUE SES OUVRIERS ARRIVAIENT.

LA TROUPE ATTEND LES OUVRIERS. LA FUSILLADE FAIT DES DIZAINES DE VICTIMES.

MAIS L'OUVERTURE DES ÉTATS GÉNÉRAUX RETIENT TOUTE L'ATTENTION. ET LE 5 MAI 1789, À VERSAILLES...

JE VOIS LE ROI ET LA REINE, LÀ-HAUT. SUR LES CÔTÉS, LE CLERGÉ ET LA NOBLESSE. DEVANT NOUS, LE TIERS. MAIS À PART M. BARNAVE...

LUI... MAIS TENEZ, JE RECONNAIS...

BAILLY

ROBESPIERRE

SIEYÈS

MIRABEAU

EXPOSÉ À L'HOSTILITÉ DE LA COUR ET DE LA NOBLESSE, **LE TIERS ÉTAT SE PROCLAME ASSEMBLÉE NATIONALE**, PUIS S'INSTALLE DANS LA SALLE DU JEU DE PAUME (20 JUIN).

JURONS DE NE PAS NOUS SÉPARER AVANT D'AVOIR DONNÉ UNE **CONSTITUTION** AU ROYAUME!

PRÊTONS SERMENT!

LAISSEZ! QUE TOUTES LES OPINIONS SE MANIFESTENT LIBREMENT!

SEUL, LE DÉPUTÉ MARTIN D'AUCH SE RÉCUSE SOUS LES HUÉES DE SES COLLÈGUES.

LA COUR FULMINE...

DISPERSEZ CETTE PRÉTENDUE ASSEMBLÉE!

JE M'Y REFUSE!

CALMEZ-VOUS, MON FRÈRE... PATIENTEZ, COMME MOI.

A LA SOUVERAINETÉ DE LA NATION LE ROI OPPOSE SON POUVOIR LÉGITIME. IL CONGÉDIE LES DÉPUTÉS...

ET LE ROI SORT. M. DE DREUX-BREZÉ S'AVANCE VERS MIRABEAU, L'UN DES ORATEURS DU TIERS...

AVEZ-VOUS ENTENDU L'ORDRE DU ROI?

JE SUIS LE SEUL REPRÉSENTANT DE MON PEUPLE.

... LE FAUTEUIL DE NECKER RESTE VIDE.

LE ROI LAISSE L'ASSEMBLÉE SE RÉUNIR. MAIS, LE **12** JUILLET, ALORS QUE BAZIN SE TROUVE À PARIS...

NECKER EST RENVOYÉ !

ENTHOUSIASMÉ, BAZIN SUIT LA FOULE QUI PORTE TRIOMPHALEMENT UN BUSTE EN CIRE DE NECKER...

SUR LA PLACE LOUIS XV *,
LE CORTÈGE EST REFOULÉ
PAR LES DRAGONS ALLE-
MANDS DU PRINCE DE
LAMBESC...

* Actuelle place de la Concorde.

ALORS LA FOULE SE DÉCHAÎ-
NE, INCENDIE L'OCTROI
DE LA BARRIÈRE DE
LA CONFÉRENCE.

LES GARDES FRANÇAISES * SE
RALLIENT AU
PEUPLE...

FOI DE SERGENT
HOCHE, NOUS NE
FERONS PAS COU-
LER LE SANG
FRANÇAIS !

* Garde personnelle du Roi.

LE 13 JUILLET, LES NOTABLES DE L'HÔTEL
DE VILLE CRÉENT LEUR MILICE, LA GARDE
NATIONALE.

IL FAUT
ARRÊTER CES
FORCENÉS !

DES
ARMES !

DEPUIS DEUX JOURS,
BAZIN N'A PAS QUITTÉ
CAMILLE DESMOULINS ET
LES PATRIOTES. LE 14,
AVEC EUX, IL EST DEVANT
LA BASTILLE...

VIVE
LA NATION !

EN
AVANT !

ENCOURAGÉES PAR LA PRISE DE LA BASTILLE, LES CAMPAGNES SE RÉVOLTENT. CHÂTEAUX ET ABBAYES SONT PILLÉS, INCENDIÉS. **C'EST LA GRANDE PEUR.**

*SATISFACTION EST DONNÉE AUX PAYSANS. LES PRIVILÈGES SONT ABOLIS. L'ASSEMBLÉE NATIONALE VOTE, SUR LA PROPOSITION DE LA FAYETTE, **LA DÉCLARATION DES DROITS DE L'HOMME...***

ASSEMBLÉE NATIONALE
LA LOI ET LE ROI
1789
B.R

TOUS LES HOMMES NAISSENT LIBRES ET ÉGAUX EN DROITS...

MAIS L'AGITATION PERSISTE. LES PATRIOTES RAILLENT LES ÉMIGRÉS. LA CARICATURE NE FAIT PAS DE QUARTIER.

ACHETEZ MON IMAGE ! LE COMTE D'ARTOIS PRENANT LE LARGE !

LA COUR NE DÉSARME PAS. À VERSAILLES, EN PRÉSENCE DE LA REINE, DES COCARDES TRICOLORES* TOMBENT PAR TERRE. CRIS DE JOIE DES ROYALISTES !

VIVE LA COCARDE NOIRE !

À PARIS, LE 5 OCTOBRE, HUIT MILLE FEMMES SE RASSEMBLENT POUR RÉCLAMER DU PAIN.

À VERSAILLES ! RAMENONS LE ROI !

MONSIEUR DE LA FAYETTE, VOUS ÊTES COMMANDANT DE LA GARDE NATIONALE, ARRÊTEZ CES HARPIES !

CE SERAIT UN MASSACRE !

* *Adoptée le 27 juillet par les gardes nationaux.*

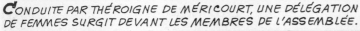
CONDUITE PAR THÉROIGNE DE MÉRICOURT, UNE DÉLÉGATION DE FEMMES SURGIT DEVANT LES MEMBRES DE L'ASSEMBLÉE.

MAIS...

DU PAIN !

ALLONS CHERCHER LE ROI, LA REINE ET LE "PETIT MITRON"!

AUTOUR DE LOUIS XVI LA PANIQUE S'INSTALLE.

IL FAUT RÉSISTER !

LA FAYETTE ARRIVE AVEC LA GARDE NATIONALE...

LE ROI EST INDÉCIS. ENFIN, IL CÈDE. LE LENDEMAIN, IL SE LAISSE CONDUIRE AUX TUILERIES...

CHEZ BARNAVE, LA NUIT...

MOUNIER !

ADIEU, MON AMI. LA RÉVOLUTION PREND UN TOUR DANGEREUX. MIEUX VAUT QUITTER PARIS.

EN REGAGNANT LA CAPITALE, LE ROI SE LIVRE AU PEUPLE. LA MONARCHIE CONSTITUTIONNELLE EST UN RÊVE. SI LE ROI NE RESSAISIT PAS LE POUVOIR, J'ÉMIGRERAI, COMME LES PRINCES QUE J'AI COMBATTUS.

L'HOMME INTÉRESSÉ! MAINTENANT QU'IL A REÇU SATISFACTION, IL SE RETIRE...

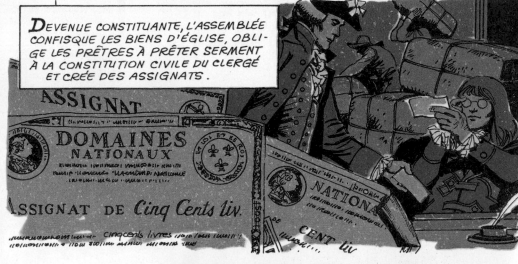

DEVENUE CONSTITUANTE, L'ASSEMBLÉE CONFISQUE LES BIENS D'ÉGLISE, OBLIGE LES PRÊTRES À PRÊTER SERMENT À LA CONSTITUTION CIVILE DU CLERGÉ ET CRÉE DES ASSIGNATS.

ASSIGNAT
DOMAINES NATIONAUX
ASSIGNAT DE Cinq Cents liv.
cinqcents livres

L'ASSEMBLÉE A SUIVI LE ROI. BARNAVE ET LE FIDÈLE BAZIN SUIVENT L'ASSEMBLÉE... TOUS À PARIS!

IL FAUT FREINER LA RÉVOLUTION, RÉDUIRE LES LIBERTÉS, ÉTABLIR LA MONARCHIE CONSTITUTIONNELLE...

S'IL EST ACQUIS AUX RÉFORMES EN PUBLIC, EN PRIVÉ LOUIS XVI PESTE!

J'AIMERAIS MIEUX ÊTRE ROI DE METZ QUE ROI DE FRANCE!

AVEC LES BEAUX JOURS, LE CALME SEMBLE REVENU. LA LIBERTÉ DE LA PRESSE ENTRAÎNE UNE FLORAISON DE JOURNAUX. LES ROYALISTES ONT LES LEURS.

DU CÔTÉ DES CONTRE-RÉVOLUTIONNAIRES, CHANSONS ET SLOGANS FLEURISSENT. ON SE DISTINGUE ENCORE PAR LA MODE VESTIMENTAIRE.

LES PATRIOTES NE SONT PAS EN RESTE. ILS ONT, EUX AUSSI, LEURS JOURNAUX...

LES ARMÉES DES ROIS COALISÉS CHÂTIERONT BIENTÔT CETTE CANAILLE...

... LEURS CHANTS. À LEUR MISE, ON LES RECONNAÎT À COUP SÛR. LE BONNET ROUGE FAIT UNE TIMIDE APPARITION...

AH ÇA IRA, ÇA IRA, ÇA IRA, MALGRÉ LES MUTINS TOUT RÉUSSIRA. LES ARISTOCRATES, À LA LANTERNE...

DANS LES DEUX CAMPS, UN JEU FAIT FUREUR : L'ÉMIGRETTE.

EN VOICI UNE GRANDE, CITOYEN ! À LA MESURE DE VOTRE FORCE !

ES-TU FOU, BAZIN ? CETTE AFFREUSE FEUILLE ! TU LIS ÇA ?

MARAT* Y DÉMASQUE LES TRAÎTRES. IL ACCUSE MIRABEAU DE S'ÊTRE VENDU À LA COUR !

* Rédacteur de l'Ami du Peuple.

MARAT N'A PAS TORT !

LE ROI SE CHARGE DE VOS DETTES ET VOUS VERSE UNE PENSION SECRÈTE.

PARFAIT.

À SA MORT, EN AVRIL 1791, MIRABEAU EST POURTANT PLEURÉ PAR LE PEUPLE.

DANS LES CLUBS POLITIQUES, ON DISCUTE FERME. BARNAVE ET ROBESPIERRE HANTENT CELUI DES **JACOBINS**; ON Y VIENT EN FOULE. CELUI DES **CORDELIERS** EST PLUS POPULAIRE; C'EST LÀ QUE VONT **DANTON** ET **MARAT**...

TU EXAGÈRES, MARAT !

LE ROI PRÉPARE SA FUITE, DANTON, J'EN SUIS SÛR !

...LOUIS XVI CHERCHE À REJOINDRE L'ARMÉE DE BOUILLÉ À MONTMÉDY. LE LENDEMAIN LES PARISIENS APPRENNENT QUE LE ROI N'EST PLUS LÀ.

LE TRAÎTRE !

AUX ARMES !

À MINUIT, LE 20 JUIN 1791, UNE OMBRE SE GLISSE FURTIVEMENT HORS DU PALAIS DES TUILERIES...

ARRÊTÉE À VARENNES, LA FAMILLE ROYALE REGAGNE LA CAPITALE, ESCORTÉE PAR BARNAVE.

CELUI QUI SALUERA LOUIS SERA BATTU. CELUI QUI L'ATTAQUERA SERA PENDU.

... LE 25 JUIN, LA POPULATION PARISIENNE ACCUEILLE LE CONVOI DE LA MONARCHIE PAR UN SILENCE DE MORT.

POUR SAUVER LE ROI, BARNAVE ET LES CONSTITUTIONNELS FONT COURIR LE BRUIT D'UN ENLÈVEMENT.

... LES AUTEURS EN SERONT SÉVÈREMENT CHÂTIÉS !

DANS LES CLUBS, LES PATRIOTES LAISSENT ÉCLATER LEUR COLÈRE.

ENLEVÉ ! ON SE MOQUE DE NOUS !

SIGNONS UNE PÉTITION POUR RÉCLAMER LA DÉCHÉANCE DE LOUIS XVI !

VOICI BARNAVE ! ROYALISTE DEPUIS L'ÉQUIPÉE DE VARENNES !

BARNAVE ET SES AMIS S'OPPOSENT À CETTE DÉCISION. ILS QUITTENT LES JACOBINS ET FONDENT LE CLUB DES **FEUILLANTS**.

LE 17 JUILLET 1791, LES PATRIOTES SE RÉUNISSENT AU **CHAMP DE MARS** POUR SIGNER LA PÉTITION RÉPUBLI-CAINE. LA GARDE NATIONALE, SUR LES ORDRES DE LA FAYETTE ET DE BAILLY, MAIRE DE PARIS, TIRE SANS SOMMATION...

... ET C'EST LE SIGNAL DE LA RÉPRES-SION. LES CLUBS SONT FERMÉS. DANTON DOIT FUIR ET MARAT SE CACHER.

LES SEMAINES PASSENT. LES POURSUITES CESSENT. LE 14 SEPTEMBRE, LOUIS XVI PRÊTE SERMENT À LA CONSTITUTION.

VOICI BARNAVE, L'HOMME À DOU-BLE FACE. BLANC EN 89. NOIR EN 91.

BARN

BARNAVE, LAFAYETTE ET LES CONSTITUTIONNELS ONT PERDU TOUT CRÉDIT AUPRÈS DES PATRIOTES.

PRÉPARE LES BAGAGES, BAZIN. LA CONSTITUANTE A ACHEVÉ SA TÂCHE. NOUS RENTRONS.

JE RESTE ICI, MONSIEUR. VOTRE CAUSE N'EST PLUS CELLE DE LA RÉVOLUTION.

VOTRE CONSTITUTION EST INJUSTE. POUR ÊTRE ÉLECTEUR, IL FAUT AVOIR DE LA FORTUNE. LES MOINS AISÉS NE VOTENT PAS, ET POUR-TANT ILS ONT PRIS LA BASTILLE !

DEVENUE LÉGISLATIVE EN OCTOBRE *1791*, L'ASSEMBLÉE, SUR PROPOSITION DE ROBESPIERRE, SE COMPOSE DÉSORMAIS DE NOUVEAUX DÉPUTÉS.

VERGNIAUD

CARNOT

CONDORCET

BRISSOT

MA FOI, JE RECONNAIS QUELQUES TÊTES SUR CETTE RANGÉE...

LA VIE POLITIQUE EST DES PLUS ACTIVES. LES JACOBINS, ANIMÉS PAR ROBESPIERRE, CORRESPONDENT DANS TOUTE LA FRANCE.

VOICI CE QUE NOS AMIS NOUS ÉCRIVENT...

BAZIN A TROUVÉ DE L'EMPLOI CHEZ MARAT...

NOTRE NOUVELLE ASSEMBLÉE NE CHÔME PAS NON PLUS !

ON PARLE BEAUCOUP DE GUERRE... A COUP SÛR, ON ÉVITERAIT CE DANGER EN COUPANT LA TÊTE AU ROI.

LES LÉGISLATEURS AGISSENT, MULTIPLIENT LES DÉCRETS : CONTRE LES ÉMIGRÉS, CONTRE LES PRÊTRES OPPOSÉS A LA CONSTITUTION CIVILE DU CLERGÉ.*

* *Dits réfractaires.*

À CES RÉFORMES, LOUIS XVI OPPOSE SON DROIT DE **VETO**, ACCORDÉ PAR LA CONSTITUTION. ENTRE PATRIOTES ET ROYALISTES, LES RIXES SONT QUOTIDIENNES.

DE FAUX ASSIGNATS ARRIVENT PAR BALLOTS D'ANGLETERRE. UNE MANIÈRE DE LUTTER CONTRE LA RÉVOLUTION...

DANS L'OUEST, LE MARQUIS DE LA ROUËRIE TISSE LA TRAME D'UNE CONSPIRATION. OBJECTIF : SOULEVER LA VENDÉE ET LA BRETAGNE...

POUR LE ROI !

SECRÈTEMENT, LE ROI CORRESPOND AVEC LES SOUVERAINS D'EUROPE ET RÉCLAME LEUR INTERVENTION.

CHEZ LES PATRIOTES, BRISSOT, UN DES CHEFS GIRONDINS, SE PRONONCE LUI AUSSI POUR LA GUERRE...

PASSONS LES FRONTIÈRES. QUE LOUIS XVI ET LES TRAÎTRES SOIENT DÉMASQUÉS !

LA DÉFAITE INÉVITABLE DES ARMÉES FRANÇAISES EST NOTRE SEUL SALUT.

LA FUREUR DES PATRIOTES EST À SON COMBLE. LE HASARD MET BAZIN EN PRÉSENCE DE SON ANCIEN MAÎTRE.

TOI, AU SERVICE DE MARAT!

...NON, MONSIEUR: DE L'AMI DU PEUPLE.

L'AIR SOMBRE DE BARNAVE ALARME BAZIN.

RASSURE-TOI, MA SANTÉ EST BONNE... JE N'AI PAS L'ESPRIT EN REPOS. JE M'ATTENDS À DE GRANDS MALHEURS.

"J'AI FAIT MES ADIEUX À LA REINE, DONT J'AI ÉTÉ LE CONSEILLER SECRET. EN VAIN. HÉLAS! ELLE NE COMPREND PAS QUE LA VOIE CONSTITUTIONNELLE EST LA SEULE CHANCE DE LA MONARCHIE."

ADIEU, MON AMI. L'HEURE DES VIOLENCES EST IMMINENTE. MON AMITIÉ POUR LA REINE ME COÛTERA LA VIE.

JE VOUS PROMETS LE SECRET...

LOUIS XVI ATTEND DE PIED FERME LES ARMÉES ÉTRANGÈRES. IL NE SANCTIONNE TOUJOURS PAS LES DÉCRETS.

À BAS "MONSIEUR VETO"!

VIVE LA NATION!

LE 20 JUIN, LE PEUPLE ENVAHIT LES TUILERIES. COIFFÉ DU BONNET ROUGE, LOUIS XVI TRINQUE À LA SANTÉ DES CITOYENS, MAIS PERSISTE DANS SON VETO.

IL PEUT TOUJOURS ATTENDRE SES AMIS PRUSSIENS ET AUTRICHIENS !

L'ENNEMI EST AUX FRONTIÈRES, LA TRAHISON AU POUVOIR : L'ASSEMBLÉE DÉCLARE " LA PATRIE EN DANGER."

CITOYENS, LE PEUPLE EST EN DANGER

QUAND LE DUC DE BRUNSWICK ADRESSE À LA FRANCE SON ULTIMATUM, L'EXASPÉRATION DES PATRIOTES NE CONNAÎT PLUS DE LIMITE.

IL MENACE DE NOUS FUSILLER SI NOUS NE NOUS RENDONS PAS !

LES FÉDÉRÉS DE MARSEILLE ENTRENT BIENTÔT DANS PARIS, FREDONNANT UN AIR QUI FAIT FRISSONNER LES PATRIOTES...

ALLONS, ENFANTS DE LA PATRIE...

IL FAUT SAUVER LA RÉVOLUTION. IL FAUT EN FINIR AVEC LE ROI !

DANTON ET ROBESPIERRE SONT DE TON AVIS, MARAT. NOUS ATTENDONS LES FÉDÉRÉS POUR PASSER A L'ACTION.

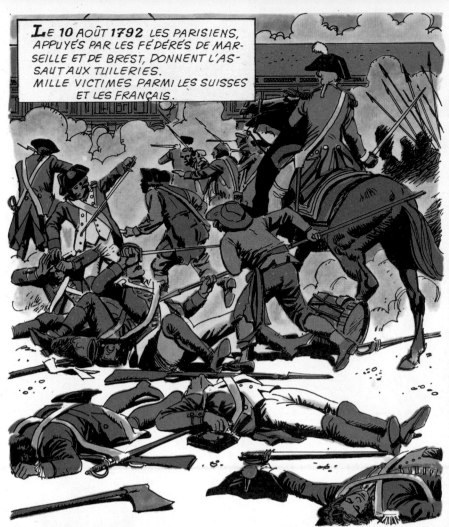

LE 10 AOÛT 1792 LES PARISIENS, APPUYÉS PAR LES FÉDÉRÉS DE MARSEILLE ET DE BREST, DONNENT L'ASSAUT AUX TUILERIES. MILLE VICTIMES PARMI LES SUISSES ET LES FRANÇAIS.

LOUIS XVI SE RÉFUGIE AVEC SA FAMILLE AU SEIN DE L'ASSEMBLÉE QUI LE DÉPOSE. LA ROYAUTÉ N'EST PLUS.

A L'APPEL DE LA PATRIE EN DANGER, DES MILLIERS D'HOMMES S'ENGAGENT. ANONYMES, COMME NOTRE AMI BAZIN, OU FUTURS HÉROS... HOCHE, MARCEAU, KLÉBER, DESAIX, BRUNE, CES VOLONTAIRES DE 92 VONT PROPAGER SUR L'EUROPE LE GRAND SOUFFLE DE LA RÉVOLUTION...

VIVRE LIBRE OU MOURIR

CITOYENS LA PATRIE EST EN DANGER

VIVE LA NATION !

AOÛT 1792. LA RÉVOLUTION EST MENACÉE. LE PÉRIL EST PARTOUT.

À PARIS, OÙ LA DISETTE S'INS-TALLE, LA FIÈVRE MONTE... LES 48 "SECTIONS" DE LA COMMUNE INSURRECTIONNELLE SIÈGENT CHAQUE JOUR.

LA PAROLE EST À LA CITOYENNE LAMBERT, DE LA SECTION DES "QUINZE-VINGTS"...

LES ARISTOCRATES CHERCHENT À RECON-QUÉRIR LEURS PRI-VILÈGES. ET LES ACCAPAREURS AFFAMENT PARIS !

LE ROI, L'AUTRICHIENNE* ET LES ÉMIGRÉS ONT TRAHI LA NATION. ILS ONT PRÉPARÉ LA COALITION DE LA PRUSSE ET DE L'AUTRICHE.

* Marie-Antoinette.

CITOYENS, ABO-LISSONS LA MONAR-CHIE ! JUGEONS LE ROI !

À BAS LA MONAR-CHIE !

LES "SANS-CULOTTES" VEILLENT. ILS DÉFENDRONT LA RÉVOLUTION. CHAQUE JOUR, AUX TUILERIES...

VIVE LA NATION !..

A BAS LE ROI !

MORT AUX TYRANS !

2 SEPTEMBRE 1792. L'ENNEMI MARCHE SUR PARIS. LA COMMUNE APPELLE AUX ARMES...

... ET, À L'ASSEMBLÉE, LE CITOYEN DANTON EXALTE LES PATRIOTES.

IL FAUT PROTÉGER NOS FRONTIÈRES ! CREUSER DES RETRANCHEMENTS ! DÉFENDRE NOS VILLES !

POUR VAINCRE LES ENNEMIS DE LA PATRIE, DE L'AUDACE, ENCORE DE L'AUDACE, TOUJOURS DE L'AUDACE !

LE PÉRIL NOUS HARCÈLE. LE CANON, LE TOCSIN... ON VIT DANS LA HANTISE DE LA TRAHISON.

701

EN UN FORMIDABLE ÉLAN PATRIOTIQUE, L'ARMÉE DES SANS-CULOTTES A REPOUSSÉ LA PREMIÈRE ARMÉE D'EUROPE.

...JE N'OUBLIERAI JAMAIS LE NOM DE **VALMY**, PREMIÈRE GRANDE VICTOIRE DE LA RÉPUBLIQUE.

OCTOBRE 1792. LA VIE EST CHÈRE, LE PAIN RARE. LES ROYALISTES INTRIGUENT. RUDE HIVER EN PERSPECTIVE !

LA COMMUNE ET LES SECTIONS DÉNONCENT LA LIBERTÉ DU COMMERCE DU GRAIN. EN VAIN !

PLUS DE PAIN ! PLUS DE LOIS, PLUS DE RÉPUBLIQUE !

JAMAIS PARIS N'A CONNU SEMBLABLE AGITATION. SUR LES PLACES OU DANS LES CAFÉS, ON DÉNONCE, ON ACCUSE, ON SUGGÈRE...

SEULS LES MONTAGNARDS* RÉPONDENT AUX ESPOIRS DES SANS-CULOTTES.

*Sur les bancs les plus élevés de la Convention.

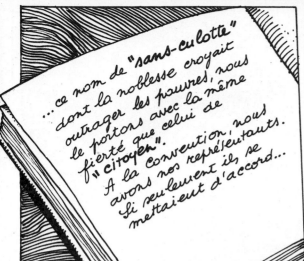

... ce nom de "sans-culotte" dont la noblesse croyait outrager les pauvres, nous le portons avec la même fierté que celui de "citoyen". A la convention, nous avons nos représentants. Si seulement ils se mettaient d'accord...

LES CONVENTIONNELS SE RÉUNISSENT CHAQUE JOUR. LOIS ET DÉCRETS SE MULTIPLIENT.

A DROITE DE LA TRIBUNE SIÈGE LA **GIRONDE***. TRÈS INFLUENTE, ELLE FREINE L'ÉLAN RÉVO-LUTIONNAIRE DU PEUPLE. AU CENTRE, LES INDÉCIS DE LA PLAINE. A GAUCHE, SOUVENT ÉLUS DE PARIS, LES MONTA-GNARDS, FIDÈLES DÉFENSEURS DE LA RÉVOLUTION

* A l'origine, députés de Bordeaux.

HÉBERT

DANTON

MARAT · DESMOULINS · ROBESPIERRE

SAINT-JUST

... on y trouve Hébert, de la gazette "Le Père Duchesne", le fougueux Danton, l'im-placable Marat, Camille Desmoulins, l'incorruptible Robespierre, Saint-Just... Je crois en ces hommes énergiques.

703

... EN PROVINCE, ILS S'EN PRENNENT À DE FIDÈLES PATRIOTES.

... ET LES ROYALISTES MULTIPLIENT LEURS COMPLOTS...

TU L'AURAS VOULU, VA-NU-PIEDS !

LA VENDÉE, ROYALISTE, SE SOULÈVE. LES VOLONTAIRES Y SUBISSENT DE TERRIBLES REVERS.

A PARIS, LA SITUATION S'AGGRAVE. LES PATRIOTES NE S'AVOUENT PAS VAINCUS POUR AUTANT.

CITOYENS, CONFIANCE ! LA NATION CHÂTIERA LES PROFITEURS !

Robespierre et ses amis les Jacobins font les plus clairvoyants. Ils sauveront la patrie.

LA CITOYENNE LAMBERT S'EST INSCRITE À LA "SOCIÉTÉ FRATERNELLE DE PATRIOTES DE L'UN ET L'AUTRE SEXE"...

LES GIRONDINS NOUS AFFAMENT. CE SONT DES HOMMES COMME ROBESPIERRE, DANTON, MARAT, SAINT-JUST QU'IL NOUS FAUDRAIT!

... L'UN DES RARES CLUBS OÙ LES FEMMES PUISSENT FAIRE ENTENDRE LEUR VOIX. IL SIÈGE DANS UN GRENIER DU COUVENT DES JACOBINS...

JE CRAINS POUR TOI DES DÉCEPTIONS, MARIE... DÉJÀ, VOICI LES NÔTRES BATTUS DANS LE NORD À NEERWINDEN..

PATRIOTE LUI AUSSI, SON FRÈRE ANTOINE LUI REPROCHE SON ARDEUR...

...CE MOIS DE MARS 1793 EST TERRIBLE. LA LEVÉE EN MASSE DE 300.000 HOMMES... LA GUERRE FAIT RAGE EN VENDÉE

6 AVRIL. DUMOURIEZ, QUI TENTAIT DE MARCHER SUR PARIS* EN A ÉTÉ EMPÊCHÉ PAR SES SOLDATS. LE TRAÎTRE S'EST RÉFUGIÉ CHEZ LES AUTRICHIENS!

708

* Faisant le jeu des royalistes.

709

LE CHANT DE LA **CARMAGNOLE** TROUVE UN ÉCHO À LA CONVENTION, OÙ ROBESPIERRE LAISSE TOMBER SON VERBE TRANCHANT.

L'ARME DE LA RÉPUBLIQUE EST LA TERREUR, LA FORCE DE LA RÉPUBLIQUE EST LA VERTU.

6 AVRIL **1793**. LA CONVENTION A ÉLU UN GOUVERNEMENT RÉVOLUTIONNAIRE, LE **COMITÉ DE SALUT PUBLIC**. À CÔTÉ, UN TRIBUNAL JUGE SANS APPEL CONSPIRATEURS ET TRAÎTRES. L'INCAPACITÉ DES GIRONDINS NE FAIT PLUS DE DOUTE.

LE 17 AVRIL, DES FEMMES, SOUTENUES PAR HÉBERT ET LES "ENRAGÉS", MANIFESTENT AVEC L'ACTRICE CLAIRE LACOMBE...

... ET EXIGENT LE VOTE DES FEMMES !

24 AVRIL. MARAT A ÉTÉ CONDUIT DEVANT LE TRIBUNAL RÉVOLUTIONNAIRE. NOUS AVONS OBTENU SON ACQUITTEMENT ! C'EST L'ÉCHEC DES INTRIGUES GIRONDINES...

VIVE MARAT ! A BAS LA GIRONDE !

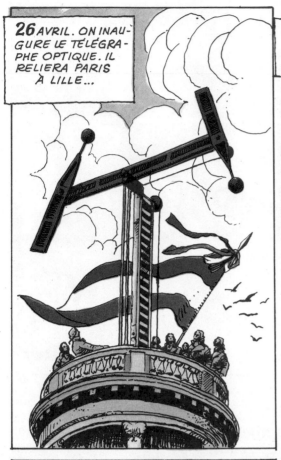

26 AVRIL. ON INAUGURE LE TÉLÉGRAPHE OPTIQUE. IL RELIERA PARIS À LILLE...

LA CAPITALE A FAIM. SE NOURRIR EST TOUTE UNE AFFAIRE.

ALORS, CITOYENNE LAMBERT ? À QUAND LES TAXES SUR LES MARCHANDISES ?

LES MONTAGNARDS DÉFENDENT ÉNERGIQUEMENT LE PEUPLE À LA CONVENTION. ILS SE HEURTENT AUX GIRONDINS. LA POPULATION EN A ASSEZ...

...BEAUCOUP DE GIRONDINS VOUDRAIENT DÉTOURNER LA RÉVOLUTION DE SON COURS ! CERTAINS SONT DE MÈCHE AVEC LES ROYALISTES, MARIE !

31 MAI. ARRESTATION DES GIRONDINS DÉCIDÉE. LE 2 JUIN, LES SECTIONS EN ARMES CERNENT LA CONVENTION.

À VOS PIÈCES, CITOYENS CANONNIERS ! QUE L'ASSEMBLÉE CHASSE LES TRAÎTRES !

29 GIRONDINS ARRÊTÉS... LA CHUTE DE LA GIRONDE DÉCLENCHE DES INSURRECTIONS EN NORMANDIE, À LYON, À MARSEILLE. LES ROYALISTES N'Y SONT PAS ÉTRANGERS !

CHAQUE JOUR LES GAZETTES APPORTENT LES NOUVELLES.

ÉCOUTE CE QUE DIT "LE PÈRE DUCHESNE"... ON SE BAT À BORDEAUX ET DANS LE CALVADOS. LA FLOTTE ANGLAISE BLOQUE NOS CÔTES.

VALENCIENNES ET MAYENCE SONT TOMBÉES. EN VENDÉE, LA GUERRE CONTINUE... PARTOUT, LES PATRIOTES COMBATTENT VAILLAMMENT AINSI...

... VIALA, UN ENFANT DE 13 ANS, A ÉTÉ TUÉ EN COUPANT UN PONT ENNEMI.

LE 11 JUILLET 1793, ROBESPIERRE ENTRE AU COMITÉ DE SALUT PUBLIC. DEUX JOURS PLUS TARD...

MARAT ASSASSINÉ !

MARAT, L'AMI DU PEUPLE... LÂCHEMENT ASSASSINÉ PAR **CHARLOTTE CORDAY**, UNE ROYALISTE FANATIQUE!

VIVES RÉACTIONS À PARIS!

LAISSERONS-NOUS DISPARAÎTRE LES MEILLEURS FILS DE LA RÉVOLUTION?

C'EN EST ASSEZ! IL FAUT ÉCRASER L'ENNEMI À L'INTÉRIEUR!

AOÛT **1793**. LE COMITÉ DE SALUT PUBLIC ORGANISE LA DÉFENSE DU PAYS. LA CONVENTION ACCUMULE LES DÉCRETS.

LES ACCAPAREURS SERONT EXÉCUTÉS! LES GÉNÉRAUX INCAPABLES, DESTITUÉS!

LA SITUATION MILITAIRE SE DÉTÉRIORE. LE 23 AOÛT, L'ASSEMBLÉE VOTE **LA LEVÉE EN MASSE**.

LES ROYALISTES VIENNENT DE LIVRER TOULON AUX ANGLAIS!

SEPTEMBRE **1793**. EN PROVINCE LES COMBATS FONT RAGE. LES ESPIONS ÉTRANGERS S'INFILTRENT DANS LE PAYS. DES PROFITEURS AFFAMENT NOS VILLES. À PARIS, SITUATION TENDUE. UNE ARMÉE RÉVOLUTIONNAIRE SE FORME.

CETTE "LOI SUR LES SUSPECTS" M'INQUIÈTE. ELLE DONNE TROP DE POUVOIRS AUX COMITÉS RÉVOLUTIONNAIRES!

UNE LOI FIXANT LE PRIX DE VENTE MAXIMUM DES GRAINS ET FOURRAGES EST VOTÉE. CEPENDANT...

LES ACCAPAREURS ET LES TRAÎTRES À L'ÉCHAFAUD!

...DEPUIS LE DÉBUT DU MOIS, LA **TERREUR** RÈGNE. ARRESTATIONS ET EXÉCUTIONS SONT QUOTIDIENNES.

PEUT-ON JUSTIFIER LA TERREUR?

POUR SAINT-JUST, CELA NE FAIT AUCUN DOUTE!

LA LIBERTÉ DOIT VAINCRE À QUELQUE PRIX QUE CE SOIT!

LE TRIBUNAL RÉVOLUTIONNAIRE EST TRÈS ACTIF. CHAQUE JOUR, DES DIZAINES D'ACCUSÉS JUGÉS SANS APPEL. SEUL, UN PETIT NOMBRE ÉCHAPPE À LA CONDAMNATION À MORT.

16 OCTOBRE. À LA GRANDE JOIE DU PÈRE DUCHESNE, "L'AUTRICHIENNE" A ÉTÉ ENVOYÉE À L'ÉCHAFAUD.

OÙ CELA NOUS MÈNERA-T-IL, MARIE ? QUE FAIT-ON DE L'INTÉRÊT DU PEUPLE ?

Les doutes de mon frère se confirment. La loi du "maximum" s'applique aussi aux salaires, au vif mécontentement des ouvriers.

ENFIN, EN OCTOBRE, UN REDRESSEMENT MILITAIRE SE MANIFESTE. LES VOLONTAIRES TRIOMPHENT À LYON, WATTIGNIES ET CHOLET.

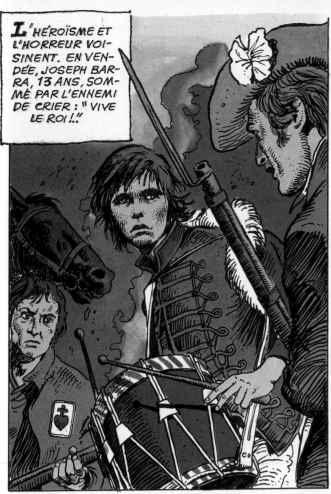

L'HÉROÏSME ET L'HORREUR VOISINENT. EN VENDÉE, JOSEPH BARRA, 13 ANS, SOMMÉ PAR L'ENNEMI DE CRIER : " VIVE LE ROI !.. "

...A PRÉFÉRÉ MOURIR POUR LA CAUSE DES PATRIOTES !

VIVE LA RÉPUBLIQUE ! VIVE LA... AAAAAAH...

EH BIEN ! TU SORS SANS TA COCARDE ?

DEPUIS PEU, EN EFFET, LA COCARDE TRICOLORE EST DE RÈGLE CHEZ LES SANS-CULOTTES, COMME LE TUTOIEMENT.

ADOPTION DU CALENDRIER RÉPUBLICAIN, DÉVELOPPEMENT DE L'INSTRUCTION PUBLIQUE... LA CONVENTION PREND CHAQUE JOUR DES MESURES NOUVELLES...

Non sans mal ! Les débats sont houleux entre ceux qui voudraient tout, tout de suite, et les timorés qu'effraie le progrès social.

* *24 mars 1794*

LES "INDULGENTS", À LEUR TOUR, SONT MENACÉS...

TU DOIS FUIR, DANTON !

JAMAIS ! ON N'EMPORTE PAS LA PATRIE À LA SEMELLE DE SES SOULIERS !

16 GERMINAL*, COUPABLES DE CONTACTS AVEC L'ENNEMI, DANTON ET LES SIENS SONT MENÉS À L'ÉCHAFAUD.

TU MONTRERAS MA TÊTE AU PEUPLE ! ELLE EN VAUT LA PEINE !

* 5 avril 1794.

ROBESPIERRE ORGANISE UN CULTE CIVIQUE. LORS DE LA FÊTE DE L'ÊTRE SUPRÊME, IL ENFLAMME UN MANNEQUIN SYMBOLISANT L'ATHÉISME.

NÉANT ATHÉISME ÉGOÏS

LA FERMETURE DU CLUB DES "FEMMES RÉVOLUTIONNAIRES", LA RÉPRESSION DES SECTIONNAIRES... DES MESURES INJUSTES QUI SÈMENT LE DÉSARROI DANS LA POPULATION.

LA PEUR POUSSE LES ADVERSAIRES DE ROBESPIERRE À SE LIGUER CONTRE LUI. ET LE 9 THERMIDOR,* MIS EN ACCUSATION DEVANT L'ASSEMBLÉE...

POUR LA DERNIÈRE FOIS, PRÉSIDENT D'ASSASSINS, JE TE DEMANDE LA PAROLE !

* 27 juillet 1794.